无法称呼的人

贝克特作品选集 5

[爱尔兰] 萨缪尔·贝克特 著

无法称呼的人

余中先 郭昌京 译

湖南文艺出版社·长沙

SAMUEL BECKETT
L'INNOMMABLE

© 1953 by Les Éditions de Minuit
根据午夜出版社 1953 年法文版翻译
并获简体中文版出版授权

现在在哪里？现在什么时候？现在是谁？不问我这个。就说我。不想这个。把这叫作问题，假设。迅速前进，把这叫作前进，把这叫作迅速。可能有那么一天，万事第一步难迈，我只是简单地留在那里，那里，而不是出去，按照一种古老的习惯，尽可能远地离开家，在外度过白天和黑夜，这并不算远。这事可能就这样开始。我将不再问自己问题。你以为只是在休息，以便此后更好地行动，或者没有小算盘，就这样用不太长的时间，你就处在了不可能再做任何事情的状态中。至于这是怎样造成的那并不要紧。这个，就说这个，而并不知道是什么。我所做的兴许只是认可一种事实上的老状态。但我什么都没有做。我像是要说话，那不是我，关于我，那不是关于我的。这些泛泛之谈作为开始。怎么办，我将怎么办，我该做什么，在我这种情况下，应该如何行事？通过纯粹的疑难或者通过随时随地的撤销的肯定和否定，或早或晚。一般来说，这里应该有别的转弯抹角的办法。不然的话那就真要叫人对一切绝望了。但是那真要叫人对一切绝望。应该事先注意到，在走得更远之前，我说疑难却又不知道这到底在说什么。除了不知不觉，人们难道还能以别的方式成为怀疑论者吗？我不知道。那些是或者否，则是别的东西，随着我不断前进，它们将回到我的身上，还有在其上拉屎的方式，或早或晚，像一只鸟儿不会忘了任何一个。人们这样说。事实似乎是，假如在我所处的情景中人们可以说是事实的话，不仅我有话要说，要说一说我所不能说的事，而且，更为有趣的是，我，这确实是更为有趣的事，我，我不再知道了，这没有关系。不过，我还是不得不说。我将永远不会闭嘴，永远不会。

我将不是孤独一人，最初的时光。我肯定是这样。孤独一人。这说得很快。必须说得很快。谁知道会有什么事呢，在如此的一团漆黑中？我想要有人陪伴。为了开始。某些个木偶，我将在此后取消它们。假如我能够的话。还有物品，对待物品应该采取什么态度？首先，该不该需要它们？这是何等的问题。但是我不隐瞒它们已经在预见之中。在这一问题上,最好还是什么都不要停止,在事先。假如有一个物品在场的话,不管是出于这种或者那种原因,都要考虑到它。哪里有人,俗话说得好,哪里就有物。这是不是说在允许人存在的同时就应该允许物的存在?这就需要看了。应该避免的,我不知道这是为什么,则是系统的概念。有人又有物,有人没有物,有物没有人,没什么大不了的,我倒是很希望能在很短的时间内把这一切都清扫干净。我看不出来该如何办。最简单的办法就是不开始。但是我还是不得不开始。这就是说我还是不得不继续。我到后来兴许会在一个凌乱地堆放着杂物的地方,被杂物团团包围。不停地来来往往,集市的气氛。我很安静,来吧。

马龙在那里。关于他那致命的活力只留下了很少很少的痕迹。他以无疑很有规律的时间间隔一次次地在我面前经过,要不然就是我自己在他面前经过。不,我已经不能动了,一劳永逸地不动了。他经过,纹丝不动。但是问题不太可能是马龙,对他已经没有什么可期待的了。从个人来说,我根本就不想让自己厌烦。正是在见到他的时候,见到他,我才问自己我们是不是投下了一个影子。不可能知道这个。他经过我身边,离我只有几尺远,慢腾腾的,总是朝着同一个方向。我相信那就是他。这项无檐帽在我看来就很能说明问题。他用两只手托着他的下巴。他经过却没有对我说话。兴许他没有看见我。这几天里，我将会叫住他，我将说，我不知道，时机一到，我将找到。这里没有什么日期可言，但是我会使用我的方式。我看见他从脑袋到腰身。对我来说，他的身体到腰身就为止了。上身挺得笔直。但是我不知道他是站着还是跪着。他兴许是坐着。我看见他的侧面。有时候我对自己说，这难道不会是莫洛伊吗？这兴许是莫洛伊，只不过戴了一顶马龙的帽子。但是更为合理的是设想他为马龙，戴着他自己的帽子。瞧，这就是第一个物品，马龙的帽子。我没有看到他有别的服装。至于莫洛伊，他兴许不在这里。他是不是就在这里而我却不知道呢？这地方无疑很大。微弱的光线有时候似乎标示出一种很遥远的方式。说实话，我相信他们全都在这里，至少是从莫洛伊开始算起，我相信我们全都在这里，但是迄今为止我只是瞥见了马龙。另外的假设：他们曾在这里，但是现在不再在这里了。我要考察一下这个，以我的方式。是不是还有别的地方，在更低的地方？人们必须经过这里才到达那里？关于深度的愚蠢的顽念。对我们来说，是不是存在着其他预料中的地方，而我和马龙所在的这地方,只不过是它们的门廊?我相信我已经结束了对它们的熟悉。不,不,我知道我们全都在这里,一直都在,永远都在。

我不再对自己提问题了。问题难道不是涉及一个地方,人们最终要在其中消失吗?是不是会有那么一天,马龙不再从我面前经过?是不是会有那么一天,马龙将从我曾经所在的地方经过?是不是会有那么一天,另一个人将从我曾经所在的地方经过?我没有什么看法。

假如我不是那么不敏感的话,他的白胡子就会让我产生怜悯之情。它从下巴的两边垂下来,形成长短不一的两绺。是不是曾有一段时间我也像他这样四处转悠?不,我总是坐在这同一个地方,双手放在膝盖上,瞧着我的面前,就像一只大猫头鹰待在一个大笼子里那样。眼泪沿着我的脸颊流下来,而我却根本没有觉得有必要眨一下眼睛。是什么让我哭成这个样子?时不时地。这里没有任何东西可以让人如此伤心。兴许是脑子进水了。往日的幸福总而言之已经完全从我的记忆中流失了,如果不能说它根本就没有在记忆中待过的话。如果说我还完成过其他的自然功能,那是在不知不觉之中完成的。从来没有什么东西妨碍过我。

然而我焦虑不安。自从我待在这里以来这里就没有过任何变化,但是,我不敢就此得出结论说永远也不会有什么改变了。让我们来稍微瞧一瞧这些想法会把我们引向哪里。我在,自从我在这里起,我在别处的出现就得到了你的出现的保证。在这期间,一切都在最平静的环境中,在最完美的秩序中发生,除了某些其意义已经不在我掌握中的活动。不,并不是它们的意义不在我的掌握中,因为连我自己的意义都不在我的掌握中。所有这一切,不,我将不说它了,因为不能。我不应把我的生存归于任何人,这些微光并不是那些照亮或者燃烧的微光。马龙经过,不从任何地方来,不到任何地方去。那些关于祖先、关于一到夜晚人们便在其中开亮灯的房子的定义,还有其他那么多的东西,都是从哪里来到我的头脑中的呢?我到处寻找。还有所有那些我对自己提出的问题。这不是出于一种好奇心。我不能够闭口无语。我要了解我自己不需要任何东西。这里一切都是那么明朗。不,并非一切都那么明朗。但是必须要做一番讲演。于是人们虚构了漆黑。这属于雄辩术。那些我要求它们什么都不意味的光芒,它们到底有什么东西如此奇特,几乎可以说是不合时宜?难道是它们的不规则,它们的不稳定,它们那一会儿强烈一会儿又微弱,却从来不超过一支或两支蜡烛强度的光亮？马龙，他，以一种机械般的精确度出现而后又消失，总是跟我保持着相同的距离，以相同的速度，走在相同的方向上，采取相同的态度。但是光线的游戏确实是不可预料的。应该说对于一双不像我那么具有警惕心的眼睛它们兴许就会完全逃脱掉。但是即便对我的这双眼睛来说它们有时候不也同样逃脱掉了吗？它们兴许是永恒的和固定的，但摇曳抖动着，断断续续的，被我感觉到了。我希望我还会有机会回到这一问题上来。但是我从现在起就要说，带着更多的确信，我对这些光线有很多的期待，就如同期待一切类似的不确定性带来的可能性，来帮助我继续下去并得出可能的结论。话既然都这样说了，我就继续，应该如此。是的，我都说了些什么，从完美无缺的行头，一直到现在的这个地方，我可不可以得出结论，说事情就将永远如此了？我显然可以这样做。但是仅仅是对自己提出这一问题这个事实就令我想入非非了。我无谓地对自己说它没有别的目的只是要在一个既定的时刻准备一篇演讲，它会有消失在其中的危险，这一卓越的解释并不让我感到满意。我是不是很可能就是一次真正关注的猎物，就像谁说的，一种知识的需要？我不知道。我要尝试另外的东西。假如某一天，出自一个已经处于其位的,或者正在走向其位的混沌原理,一种变化应该出现,那么它又会如何?这似乎应该取决于那种变化的性质。但是,不,在这里任何的变化都会是令人沮丧的,都会立即把我拉回到欢乐街①上。别的东西。自从我在这里以来,还没有过什么真正的变化吧?直率地说,手摸着胸口,等一等,据我所知,没有。但是这地方,我已经强调过了,兴许很宽阔,也可能它只有十二英尺的直径。对那些能够认出它们的界限的人来说,两种情况是半斤八两。我很愿意相信我占据着它的中央,但是没有什么更不可信的了。从某种意义上说,我最好还是坐在它的边上,既然我总是瞧着同一个方向。但是,情况显然不是这样。因为这样一来,马龙,如同事实上那样围绕着我,就会在他的每一次运转中走出圆圈,而这显然是不可能的。但是实际上,他真的在旋转吗?或者他只是在我面前经过而已,走的是一条直线?不,他在旋转,我觉得,围绕着我,就像行星围绕着它的太阳运转。假如他发出声音,我就会不停地听到,在我右边,在我背后,在我左边,然后重又看见他。但是他从

---

① 欢乐街是巴黎的一条街,早先有很多妓院一类供人寻欢作乐的地方。

来不出声，因为我不是个聋子，我敢肯定，也就是说几乎可以肯定。最后，在中央和边缘之间还有一片地带，而我实在很可能坐在两者之间的什么地方。同样也有可能，这一点我不会隐瞒，我自己也被带入一种永恒的运动中，由马龙伴随着，就如同地球由月亮伴随着。于是我可能会无缘无故地抱怨光线的混乱，这只是我的固执的简单后果，因为我始终假设它们是同一些而且我始终从同一角度看到它们。一切都有可能，或者几乎。但是真正最简单的还是把我看成固定不动地处于这地方的中央，不管它的形状和面积如何。这对我兴许同样也是最舒适的。总之：自从我在这里之后就没有过任何改变，表面看来如此；光线的混乱兴许是一种幻觉；要小心任何的改变；无法理解的不安。

我还没有完全耳聋这一事实是从种种声音能传到我的耳中得到明确证实的。因为如果说这里几乎是一片寂静，而它也不是彻底的。我记得在这一地方听到的第一声响动，此后我又常常再听见。因为我应该为我在这里的逗留假设一个开始，哪怕只是为了叙述的便利。就是说地狱本身吧，尽管是永恒的，却开始于路西法的反抗。比照这一遥远的类似情况，我可以被允许相信我将永远要在这里待下去，却不是从一开始就永远待在这里的。这一点将使我的说明变得令人惊讶地简单。在必要的情况下,我的记忆尤其将有它的话要说,尽管我向来认为要禁止我自己使用它。起码有一千个词我不会寄希望于它们。我兴许将需要它们。如此在经过一个纯粹的沉默阶段之后,一记微弱的叫喊被听见了。我不知道马龙是不是也听见了。我很惊讶,这词并不很响亮。在一阵如此长久的沉默之后,一记小小的叫喊,随即窒息。至于想知道是哪一类造物发出了这一声并永远发出它,假如那是同一声,越来越远,那是不可能的。无论如何不是一个人,这里是没有人类的,或者,假如有的话,他们也早就不叫喊了。难道是有罪之人马龙吗?难道是我吗?难道仅仅只是不少凄厉的屁声中的一个简单的闷屁?真是可悲的怪癖,一旦发生了什么事情,就非得知道到底是什么。要是我用不着被迫做出反应来那可就好了。为什么说到了声响?那兴许是一样东西磕破了,两样东西相撞了。这里有一些声音,时不时地,这一点就足够了。这声叫喊可以作为开始,既然它是第一声。而其他的,则相当不同。我开始熟悉它们了。我并不熟悉它们全部。人可能在七十岁时死去而永远不会有可能欣赏到哈雷彗星。

假如我可以把一种开始界定于跟我自己留在这里的开端密切相关,这便会给我以帮助,既然我也应该把一种开始奉献给我自己。我是不是曾在什么别的地方等待了一阵以便这个地方能准备好来接待我?或者是这个地方在等待着我的来临?从实用性的观点来看,倒是这两种假设中的第一种远远地更胜一筹,我将常常有机会要倚仗它。但是它们两者全都那么让人不愉快。因此我要说我们的开始正好彼此吻合,这个地方生来就是为我而存在的,而我自己,与此同时,也是为它而来的。而我还不熟悉的那些声音,便是还没有被听到的声音。但是,它们将不会改变任何东西。叫喊改变不了任何东西,即便在第一次。而我的惊讶呢?我应该预想到了。

毫无疑问我会有时间来稍稍陪伴一下马龙。但是我首先将说一说一个小插曲,到目前为止,它仅仅只发生过一回。我丝毫没有不耐烦地等着轮到它。于是,两个形状,椭圆形的像是人脸,在我的面前互相碰撞上了。它们落了下来,我就不再看见它们了。我很自然地想到了梅西埃和卡米耶那一对假对子。假如下一次它们进入我的视野中,希望它们慢慢地彼此凑近,我就将知道它们会发生碰撞,它们会落下来并消失得干干净净，这兴许将有助于我更好地观察它们。简直不能相信。我看到马龙跟第一次那样不清楚。这是因为，我总是瞧着同一个方向，只能够看见在我面前笔直经过的东西，我不说是清清楚楚，但至少是可视性所能允许的那么清楚，就是说，在这一情况下，先是碰撞，随后是坠落和消亡。它们的接近，我将只是模模糊糊地看到，从眼角中，而且是用什么样的眼睛啊。因为它们也有可能是按照一条曲线，而且，当然，紧贴着我身边来到的。因为可视性，除非那就是我的视觉状态，只能允许我看见紧贴着我身边的东西。我还要补充说我的座位似乎有些过于高，相对于周围的地面水平而言，假如那就是地面的话。那兴许是水面，或者是别的什么液体。以至于，要想在最好的条件下看见在我面前笔直经过的这同一件东西，我还得稍稍低一下眼睛。但是我已经不再往下低眼睛了。总之：我只看见在我面前笔直出现的东西；我只看见紧贴着我身边出现的东西；我看得最好的，倒看得很模糊。

我为什么要把我自己表现为处于人们之中，在光线之中呢？我似乎没有任何理由。算了，不去说它了。我还看到他们，我的代表们。他们给我瞎吹什么人们，什么光线。我不愿意相信他们。但这并不妨碍我这里还留有他们的位子。但是在哪里,什么时候,通过什么渠道,我跟这些先生有过联系呢?他们来过这里干扰我了吗?不,这里从来没有过任何人来干扰我。那么应该是在别处了。但是我又从来没有去过别处。然而只能是从他们那里,我学到了关于人们的知识,以及他们处理问题的方式。这只是一点点东西。我可以不要它。我并不是说它将一点儿用处都没有。假如需要的话,我将利用它。我已经有过这样的经历了。让我感到困惑的,是要把这些知识归功于我从来就不可能与之打交道的那些人。总之事实就摆在那里。除非那是一些与生俱来的知识,就像那些跟善与恶有关的知识那样。这在我看来不太像是真的。例如,一种与生俱来的对我母亲的知识,这是可以设想的吗?反正我不能。那是那些先生对我说到了她。这是他们最喜欢谈论的话题之一。他们同样还把我从上帝那里解放了出来。他们对我说在最后的分析中我是属于他的。他们从他在巴利的代表中得到了他那值得信赖的权威,我不知道那是什么,要是相信他们的话,那应是一个地方,在那里本该让我见到生命之光。而固执地支持那是一个漂亮的礼物。但是他们愿意我来吞噬的倒是我的同类们。他们在其中投入了一种热情以及一种令人难以想象的顽强。我已记不得这些谈话中的任何内容。我有太多的东西不明白。但是我还是不由自主地记住了一些描绘。他们给我上一堂堂关于爱情、关于智力的课，很宝贵，很宝贵。这一切应该有很长的时间。同样还是他们教会了我识数计算，思维推理。那些个玩意多少曾给了我一点儿用处，我不会说相反的话，我可能并不需要这些用处，假如他们让我安安静静地待着而不来烦我的话。我还在使用它们，给我挠痒痒。这些坏家伙，满口袋都是毒药和烧灼剂。那兴许是一些函授课程。然而我似乎觉得看见过他们。也许是在照片上。从什么时候起这骗人的谎言算是停止了？它真的停止了吗？还有一些问题，最后的一些问题。难道仅仅只是暂时的平静？他们有四五个人在骚扰我，借口给我作报告。尤其是他们中的一位，我想他的名字叫巴西尔，带给我一种强烈的厌恶。用不着张开嘴巴，只需要用他那因为看得太多而黯然无光的眼睛盯着我，就能让我每一次都变得更像他希望我的那样。潜伏在黑暗之中，他是不是还在瞧着我？他是不是还在盗用我的姓名，即他们在他们的世纪中非常耐心地一个季节又一个季节地粘在我身上的姓名？不，不，我在这里十分安全，我很开心地寻找谁会使我蒙受这些微不足道的创伤。

另一个人径直朝我走来。他走进来仿佛在穿过一些沉重的帷幔，又往前走了几步，瞧着我，然后倒退着抽身离开。他弯着腰，似乎手里提着什么沉重的物件，我不知道是些什么。我在他的身上看得最清楚的，是他的帽子。帽顶已经完全磨损了，就像一片旧鞋垫，让几丝灰白的头发露了出来。他的目光，抬起来久久地对着我，让我觉得里面充盈着一种哀求，仿佛我可以为他做什么事情。另一种印象，兴许同样虚假：他给我带来了礼物，却不敢交给我。他把它们带走，或者他把它们留下而它们将消失。他不经常来，我不可能算得太精确，但肯定是有规律的。直到目前为止，他的来访跟马龙的经过从来就没有吻合过。但是它们兴许会吻合的。当然这不会是对这里井然秩序的一种扭曲。因为假如我有可能计算到我离马龙的轨道有几英寸远，并承认他从离我三英尺远的地方经过，这一点本来就不太确切，相反，我对那另一位的路线则只有一个非常模糊的概念，鉴于我自身的局限，既无法衡量时间，这就足以阻止关于这个话题的任何计算，同时还不能比较他们相应的移动速度。如此我便无法知道我是不是会有希望看到他们两个一起来。我倾向于相信有这可能。因为假如我永远都不会看见他们在一起,那么情况就应该是,在我的面前,马龙在另一位之后来,或者赶在他之前来,总是按照同样的时间间隔。不,我弄错了。因为时间差距可以是有变的(我似乎觉得情况就是这样),尽管它从来就没有被完全取消。这一变动的间隔毕竟促使我想到,我的那两位忠诚的人总有一天会相遇、相撞,而且还可能摔倒在地。我说过在这里一切或早或晚都在重复,不,我都快要这样说了,然后我又回心转意了。但是相遇不会是这一规则的例外吧?我所见证过的唯一一次相遇,很久很久以前,就再也没有重复过。那兴许是某个东西的终结。万一某一天我将见到马龙和另一位在一起,就是说他们互相碰撞在一起,我兴许会摆脱掉他们,并不是因为他们妨碍我。很不幸,并不是只有他们在这里转圈。另一些人也朝我走来,在我面前经过,围绕着我转。无疑我还不认识他们全部。他们并不妨碍我,这一点我将重复得永远不会有够。但是久而久之那会变得枯燥乏味。我看不出是怎么回事。但是这事值得引起注意。人们往往让事情发生后就不再考虑怎么让它们停下来。为了说一说。人们开始说话就仿佛人们想停下来就能停下来。就是这样的。寻找办法让事情停下来,让人闭嘴,这也就有助于让讲演继续下去。不,我不应该试图这样想。只是说出事情本来的样子,如此更好。东西,形象,声音,光线,我匆匆地说到它们,也就软弱地装扮了这个地方,无论如何,根本不用考虑采用什么办法,我必须把它们从这里赶出去。在说话的狂怒中考虑到真相。通过相遇而导致一种摆脱的可能性的趣味正在于此。但是必须慢慢来。先弄脏了,然后再擦干净。

我不妨稍稍地关注一下自己,以便换一换话题。我早晚都会在那里走投无路。乍一看来,这几乎是不可能的。让人把我赶走,我,跟我的造物们在同一辆两轮载重车上?要说我的话就说我看到了这些,我感到了这些,我害怕,我希望,我不懂,我知道吗?是的,我会这样说的,说我自己一个人。无动于衷,纹丝不动,哑口无言,双手托着下巴,马龙转圈,对我的弱点永远陌生。总算有了一个不像我这样的人,我是永远都不会不在这里的。尽管我不动弹,却是他成了神。还有另一位。我把我那哀求的眼睛,还有给我的贡品都借给了他,需要一种帮助。他瞧都不瞧我一眼,不认识我,他什么都不缺少。只有我是凡人而其余的一切都是神圣的。

空气，空气，让我们试着看一看从这古老的话题中可以得出什么来。一种几乎透明的灰色就在周围靠我很近的地方，在这个美妙的圆圈之外，伸展开一些薄薄的无法穿越的层面，色调稍稍更深一些。难道是我投下了这道微弱的光芒以帮助我看清楚在我鼻子底下发生的事吗？眼下，我实在看不出这样的假设有什么用。最深的夜色久而久之也要被穿破，直到某一个点上，我听说过了，并不靠别的光线而只靠已经黑下来的天空和大地本身的光线。这里没有任何的黑夜。这一灰色，一开始很是昏暗，然后稍微有些模糊，并非不如一种相当强烈的光芒。但是实际上，我的目光执意要从中看到天空时所碰到的这道屏幕，难道不更是一堵围墙，拥有一种石墨一般的密度吗？为了弄清楚这个问题，我可能需要一根棍子，还需要掌握一些使用棍子的办法，如果缺少了使用法的话，那么棍子也就没有什么大用场，反之亦然。我同样还需要，我顺便说一下，一些分词，还有未来时，还有条件式。于是我会把它扔出去，就像投掷一杆标枪，朝我的正前方，而那紧紧地围裹着我的并妨碍我观看的东西，我会根据我所听到的声响来判断，知道它究竟始终就是空无，还是盈满，或者，我会不松开棍子，为的是不去冒险一劳永逸地丢失它，我会像使用一把剑那样地使用它，用它的顶端打击空气，或者围墙。但是使用棍棒的时代早已过去了，这里我只能局限在寄希望于我自己的身体，但我的身体根本无法做任何运动了，而且连眼睛本身都不能像以往那样说闭上就闭上了，按照巴西尔及其一伙的说法，不能让我休息下来看东西或不能观看或简单地帮助我睡觉，也不能来回转动，不能低下目光，不能朝天仰视，而只能停在那里大张着，不得不没完没了地凝视着它们前面那短短的走廊，而在那里，百分之九十九的时间里，什么事情都不发生。它们的颜色应该很红，红得就像燃烧的煤。有时候我在心里问自己两个眼睛的视网膜是不是正好相对着。此外，好好地思索了一番后，这片灰色还有些微微发红，就像某些鸟儿的羽毛那样，比如说凤头鹦鹉，我好像就想起了这么一种鸟儿来。

一切变得黑暗也好，一切变得明亮也好，一切依然还是灰色的也好，看来还是灰色占了上风，一开始就是它，本是这样，可以这样，造出黑暗和光亮，可以从前者或者后者中脱离，为了成为另一个。但是我兴许就造成在灰色之上，在灰色之中，一些幻觉。

在这样的条件下，我怎样做才能写呢，只在这一苦涩的疯狂中看重体力方面的因素吗？我不知道。我是可以知道的。但是我将不会知道。这一次不行。是我在写，但我无法把手从我的膝盖上抬起来。是我在思想，刚刚足够用来写作，但我的头脑老是不转。我是马太，我是天使，我来到十字架之前，在错误之前，来到世界上，来到这里。

我补充这一点，为了更加确切。我所说的，我将要说的这些东西，假如可能的话，已经不再在这里，或者还没有在这里，或者从来就不曾在这里，或者将永远不会在这里，或者假如它们曾经在这里，或者假如它们现在在这里，或者假如它们将来会在这里，但它们并非不曾在这里，现在也不在这里，将来也不会在这里，而是在别处。但是我，我则在这里。我不得不再一次补充这一点。在这里的我，在此地的我，不能说话的我，也不能思想，但我必须说话，也就是说，兴许还得稍稍思考一下，我说我不能那样，仅仅是考虑到我自己在这里，我就在这里，但我能够，稍稍一点，已经足够，我不知道如何，但问题不是这样的，相对于曾经身在别处的我，将在别处的我，相对于我曾经所在的，还有我将所在的那些地方。

但是我从来不曾待在别处，无论将来会是怎样的不确定。而最简单的则是说，我所说的，我将要说的，假如我能够的话，都跟我所在的地方有关，跟待在那里的我有关，尽管我处于一种不可能性之中，无法想到那里，无法说到那里，因为我，我处于那种必要性之中，要说到它，也就是说要稍稍地想到它。另外还有：我所说的，我兴许将要说的，有关这一话题，有关我的话题，有关我逗留的话题，都已经说了，既然我一直就在这里，我当然现在还在这里。总之，这是一种跟我的处境相一致的、让我乐意的推理。我看不到有什么好担心的。然而我还是担心。我不会走向灾难，我不会到任何地方去，我的历险已经结束，我要说的都已说了，我把这个叫作历险。然而我感觉并非如此。我很害怕，因为问题只能涉及我自己以及这个地方，而我自己则又一次正在通过讲述这一切来把它了结。相反，不会引起什么严重后果的，是我身不由己的处境，一旦解脱出来之后，我将不得不重新开始，从一无地点，二无人物，三无事物的乌有中出发，来重新到达，当然是通过新的道路，或者也可以通过旧的道路，反正每一次都是那么的弄不清楚。由此产生了开场白中的一种明显的混乱，需要时间来给那倒霉鬼定位并且给他做一番清理。但是我并不绝望，我还是相信有一天能够节省我的精力，同时却又不闭嘴。而那一天，我不知道是为什么，我将可以闭嘴，我将可以完结，这我知道。是的，希望就在那里，再一次，不自我做作，不自我迷失，而是留在这里，我对我自己说我一直就待在这里，因为必须很快地说些什么东西，在这里完结，那会是精彩绝伦的。但是这值得期待吗？是的，值得期待，完结是该期待的，完结将是精彩绝伦的，无论我是什么人，无论我在什么地方。

我希望这一篇开场白很快就结束，以便让位于将由我来决定的讲述。不幸的是我害怕，一如既往，害怕走得更远。因为走得更远，就是从这里走开，找到我自己，丢失我自己，消失，并重新开始，一开始默默无闻，然后渐渐地如同往常那样，在一个别的地方，我将说我始终就待在那里，但是我对它将一无所知，也无法知道什么，因为我处在一种不可能之中，不可能看到，不可能动，不可能思考，不可能说话，但是渐渐地，尽管有着这些功能的残缺，我还是会知道一些东西，知道得足够多，得以让他显现得跟往常一样，看起来为我而造的并对我不以为然的这一位，我看起来会接受但实际上不会接受的这一位，要选择，我兴许永远都不会了解这一位,不知道他是不是把我吞噬或者把我吐出来,他兴许只是我脑壳中遥远的内部,我以往曾在那里游荡,但现在我凝固住了,失去了渺小,或者推动着壁垒,用我的脑袋,我的双手,我的双脚,我的脊背,我的胸脯,始终喃喃地讲着我的那些老故事,我的那个老故事,就像第一次那样。这里头没有什么可害怕的。然而我还是害怕,害怕我的字词会把我变成什么东西,又一次在我的不知不觉中。真的没有任何的新东西可以尝试一下了吗?我指出了我的精神,但它并不太严肃。但是假如我就这么什么内容都没有地泛泛而谈,真的什么都不涉及呢?如此的话我兴许会避免被蚕食,就像被一只饱食终日的大老鼠啃噬,连同我那张带天盖的小床,一个摇篮,兴许我会被蚕食得不那么快,在我的旧摇篮里,被撕下来的皮肉还有时间再粘上,就像在那高加索山上①,然后再被撕咬下来。但是看起来不可能什么内容都没有地泛泛而谈,你以为做到了但你总是忘记了什么东西,一个小小的是,一个小小的不是,这些就足以歼灭一个龙骑兵团

---

① 指希腊神话中的普罗米修斯,他因从天上盗火给人类而被宙斯锁在高加索山上,每天被神鹰啄食腑脏。但他的腑脏被啄食后又重新长上,再被啄食,再重新长上,反复不止。

了。然而我并不绝望,这一次我会说出我是谁,我在哪里,我不会丢失,我不会跑题,我会在这里终结。妨碍奇迹出现的,是方法上的思考,我兴许稍稍过于束缚于它了。但愿普罗米修斯在洗涤他的苦难之前两万九千九百七十年被解放,这当然既不会让我热血沸腾,也不会令我胆战心寒。因为在我与这位可怜的人之间,我希望没有什么相同之处,这位敢于嘲弄天神的可怜者发明了火,让黏土变了性质,驯服了野马,总之一句话,他给予了人类以恩惠。但是事情还得要强调一下。总之:我将可以说到我自己,说到这地方,而不把我们给删除了吗?我真的可以做到闭嘴不说吗?在这两个问题之间是不是有一种关系呢?人们是喜欢下赌注的。这里就有不少的赌注可下,兴许只有一个。

这些莫菲,莫洛伊,还有其他的马龙,我不会弄错的。他们让我丢失了不少时间,错过了我的努力,他们允许我来谈论他们,而实际上只应该谈论我自己,以便让我闭嘴。但是我刚刚说了我说到了我自己,我正在说我自己。我才不在乎我刚刚说了些什么呢。现在才是我第一次要说到我自己。我以为做得很好,顺便拉来了一些受气包给我陪绑。我弄错了。他们并没有为我受的苦而痛苦,与我的痛苦相比,他们的痛苦就只是小菜一碟,只是我的痛苦中的小小的一个角,我相信能够脱开身子来观察的那一个角。让他们现在都走掉好了,他们以及其他人,那些曾帮助过我的人,那些等待中的人,但愿他们把我曾让他们蒙受的一切都还给我,然后消失,从我的生命中,从我的记忆中,从我的羞耻中,从我的畏惧中。就这样,这里就只有我了,没有任何人在围绕着我转,没有任何人在朝我走来,在我的面前也从来没有任何人遇见过任何人。那些人从来没有在过。从来不像我和这模糊的空无那样在这里过。那么那些声音呢?也同样没有过,到处是一片寂静。那么光亮呢,我对它们寄予了那么大的希望,必须把它们关闭吗?是的,应该关闭,这里没有光亮。同样,也没有灰色,必须说这里只有一片漆黑。有的只是我,对此我什么都不知道,要不然,就是我从来都不曾说起过,还有这一片漆黑,对此我同样也什么都不知道,要不然,就是它是漆黑的,空荡荡的。这就是我应该说话时将会说到的东西,直到我不再有什么东西可说为止。这将给出即将给出的那些。那么巴西尔及其一伙呢?那是并不存在的,虚构出来只是为了解释我不再知道的什么东西。啊,对了,所有这一切都是谎言。上帝和人们，日光和大自然，心的冲动和理解的方法，我软弱地发明出了它们，没有任何人的帮助，既然这里根本就没有人，以便拖延一下时间再来谈论我。不再会有这一问题了。

我，对此我什么都不知道，我知道我的眼睛睁开着，因为我在不断地流着眼泪。我知道我坐着，双手放在膝盖上，因为我屁股上有压力，脚底板上有压力，双手上有压力，膝盖上有压力。紧压着双手的是压着双手的膝盖，紧压着膝盖的是双手，但是，是什么在压着屁股，是什么在压着脚底板呢？我不知道。我的脊背没有被什么托着。我报告了这些细节，为的是让我相信我并不是靠在脊背上，双腿弯曲，跷在空中，眼睛紧闭。应该从一开始起就让自己确信自己的身体位置，然后再转入更为重要的事情上来。是什么表明了我在直视着正前方，就像我所说明的那样？我感觉我的脊背挺得很直，脖子挺得很直，一点儿都没有扭弯，还有上面的脑袋，坐得很端正，就像比尔博凯球①稳稳当当地待在它的小棍上。这些比

---

① 比尔博凯（bilboquet）是一种接球玩具，把用一根细绳系在一根小棍上的木球往上抛起，然后立即用这根小棍子的尖头或者棍子上的盘形托座接住木球。

喻不太合时宜。再说，流眼泪自有流眼泪的方式，眼泪流得我满脸都是，从眼睛到下巴，还一直流到脖子上，而在我看来，它本不应该流成这样，在一张俯下来的脸上，在一张高仰起来的脸上。但是我不应该把脑袋的端正与目光的端正混为一谈，也不应该把垂直面和水平面给混淆了。无论如何这一问题还是次要的，既然我什么都看不见。那么我穿着衣服吗？我往往问自己这个问题，然后很快地我谈论到马龙的帽子，莫洛伊的大衣，莫菲的上装。假如我是穿着衣服的，那也只是穿得很单薄。因为我感到我的眼泪在我的胸脯上笑话我，在我的肋骨上，沿着我的背。啊，对了，我真的被眼泪浸泡了。它们积攒在我的胡子里，然后从那里，当胡子无法再包容它们了——不对，我没有胡子，也没有头发，我的两个肩膀上所支架起来的，是一个光溜溜的大圆球，上面没有什么线条，除了眼睛，就连眼睛也只剩下眼眶了。且不说我那明显处在远处的手心和脚掌，当然我还无法摆脱那些东西，我倒是很愿意给我自己一种鸡蛋的形状，或者说质地，带有两个洞洞，随便开在哪里，以免裂开。因为说到质地，那更是一种黏液。但是，小心，小心，要不然我就永远也不会达到。说起服装，我眼下仅仅只看到了绑腿，兴许是一些破布，东一搭西一搭地裹巴着。同样，我也不会再来说淫秽的话。我为什么会有一个性器官呢，我连鼻子都已经不再有了呢？所有这一切正好落到，所有那些超越而过的东西，关于我的眼睛我的头发，毫不留下痕迹，落得如此低，落得如此远，弄得我什么都没有听见，兴许它们还在落下，我的头发慢慢地，始终就像烟灰那样，我的耳朵的坠落，什么都没听见。模模糊糊，始终像是小精灵，我虚构了爱情，还有音乐，野生醋栗的气味，以便避开。一些器官，一个外界，这很容易想象，其他的东西，一个上帝，则有些勉强，你想象它们，很容易，这让原则平静，这让人入睡，一会儿。是的，上帝，我不曾相信他，平静的庇护者，一会儿。我也将不再休息。如此说来，对那带来我可怜思想的一切，在我躲藏起来时在我的话语底下变形了的一切，我是不是什么都不能保留下来？这些水汪汪的眼眶，我也要把它们擦干，把它们堵住，瞧，做成了，它已经不再流了，我是一个会讲话的大圆球，说着一些并不存在的东西或者一些兴许存在的东西，不可能知道这些，问题不在这里。啊，对了，让我快快地唱一支歌吧。不管怎么说，为什么是一个圆球，而不是别的东西？为什么是大球？为什么不是一个圆柱，一个小小的圆柱？一个蛋，一个普通的蛋?不,不,古老的蠢话就在于此,我始终知道自己是圆的,又坚固又圆,只是不敢说出来,没有粗糙不平,没有口子,兴许看不见,或者大得像是大犬星座中的天狼星,这些表达法没有意义。我的脑袋又圆又硬,这就是全部的要紧所在,这样自然有它的道理,我的脑袋又圆又硬,而不是某一种不规则的形状,令人怀疑到是不是磕过碰过或者被什么东西撞过,但是这里不再说什么道理了。其余的我就抛弃了,其中包括这可笑的黑色,有一瞬间我以为我可以更称职地沉浸于其中而不是在灰色中。这些有关光明与黑暗的故事,那是何等的玩意。我为此付出了何等的代价。但是,按照我的圆球性质,我会滚吗,或者我会在什么地方获得平衡,稳稳当当地停在我那无数的极点之一上面?我感到我特别想尝试着知道这一点。从这表面上那么合法的这一关注中,会得出何等的结论。但是这个就不取决于我了。不,在我和沉默的权利以及生动的休息之间,伸展了同样的教训,我知道那是什么但是我不愿意说,我不知道这是为什么,兴许是害怕沉默,或者以为随便说些什么就可以了,于是,就更愿意说谎,以便隐藏在后面。这没什么关系。但是现在我将要说出它来,我的教训,假如我还能回想起它来的话。在天空底下,在道路之上，在城市里，在森林里，在房间里，在大山里，在平原上，在大海边，在水波上，在我的精灵背后，我并不总是忧伤，我丢失了我的时间，否定了我的权利，错过了我的努力，忘记了我的教训。然后是一个我那方式的小小地狱，不太凶狠，有几个好心的受惩罚者，我的呻吟为他们而发，一件越来越远地叹息的事，而在远处通过闪光，怜悯的火焰等待着时机推动我们走向灰烬。我说着，说着，因为必须如此，但是我不倾听，我寻找我的教训，我那有时候还知道然而却不愿意承认的生命，一种对透彻性的轻微缺少兴许就是由此而来。兴许这一次我依然什么都不做，而只是寻找我的教训，却又不能说出来，而陪同着我在一种并不是我的母语的语言之中。但是，与其去说那些我本来不应该说的话，那些我不会再去说的话，那些假如可能的话我还会说的话，我还不如说一些别的东西，难道这样不是更好吗，尽管这还不是应该马上说的？我将尝试，我将尝试着在另一种现在中，尽管那还不是我自己的现在，没有休息，没有哭泣，没有眼睛，没有理由。不妨让我们假定我是固定的，尽管这根本就没有什么重要性，不论我是固定的还是滚动的我都在不停地换地方，在空气中或者在跟其他的表面的接触中，或者我一会儿滚动，一会儿又停下来，既然我什么感觉都没有，既不觉得不安也不觉得有什么改变，没什么东西能用作有关这话题的一种观点的出发点，假如我有一些通常范畴的知识，那也没有什么太重要的，这就是道理的用处，但是，瞧，我什么都不感觉到，我什么都不知道，对于所谓的思想，我也做得相当的多，我不至于哑口无语，人们不能把这个叫作思想。那么，我们不妨什么都不假定，既不说我在动，也不说我没有动，这就更为确定，既然这并不重要，那么让我们转而对待重要的东西吧。什么东西？这个正说着话的嗓音，知道自己是一派胡言，对自己说的无动于衷，兴许还太老了，太受辱了，最终无法说出能让它闭嘴的字词，知道自己没有用处，一无用处，没人听，注意到它所打断的沉默，而通过这一沉默兴许有一天一声长长的清晰的来临和告别的叹息会回到这一嗓音中来，它还是一种嗓音吗？我将不再提出问题，不再有什么问题了，我不知道还有什么问题。它从我这里出来，它充实我，它大叫着撞到我的墙上，它不是我的，我无法阻止它，我无法停住它，不让它把我撕碎，把我震撼，把我包围。它不是我的，我没有这样的嗓音，我没有嗓音，我应该说话，我所知道的就只有这些，应该围绕着这一切来旋转，应该针对这一切来谈论，用这一个并不是我的，但又只能是我的嗓音，因为这里只有我，或者说假如还有我之外的别人，这一嗓音还可能属于他们，那他们也没有一直来到我这里，我就不再说更进一步的什么了，我再也不会更明白了。他们兴许远远地瞧着我，我看不出这样有什么不好，与此同时我却看不到他们，恰如一张燃烧的火炭中的脸，他们知道它就将崩溃，但是时间会太长，它会很晚才发生，眼睛闭上，明天还得早起。那么是我在说话了，独自一人，不能做别的什么。不，我是哑巴。话又说回来，假如我闭嘴的话。我到底出了什么事？比出了什么事还更糟糕吗？但是问题都还在那里。这就是特点所在。我不熟悉是哪些问题它们随时随地地从我的嘴里蹦出来，我还以为知道是什么了。那是为了让讲演不停下来，这一无用的讲演，它并不给我带来一个音节的沉默。但是我已经预料到了，我将不再回答，我将不再装模作样地寻找。为了不至于让话题枯竭下来，我兴许将不得不再虚构一个童话，用上一些脑袋，一些身躯，一些胳膊，一些腿脚，以及此类的东西，投入不完美的阴暗和可疑的光明的永恒交替之中，就像已经在我身上发生过的那样。但是我真希望不是这样。但是我始终拥有这一资源。因为玩笑归玩笑，最后一次这事在我的身上发生,或者在另一个被当作我的人身上发生,我当时不是心不在焉的。我以为听见了有人喃喃说了让我摆脱出来的另一种办法,而且更为舒适,我甚至可以接受某些更有希望的方法,同时又一秒钟也不停止唠叨着我的那些他说道,那些他心里说道,还有什么他问道,还有他回答道,而确实,一旦我能够结束我的那些狂热者,我就允许我自己抓住第一次机会。但是一切全都被抹却了。因为你很难做到一边说着话,即便是随便怎么说说的,一边又把注意力集中在别的地方,在你真正兴趣所在的地方,就像一种微弱的喃喃声用一些只言片语所能确定的那样,就像是在为自己还没死去而道歉那样。而这时候我觉得我听到了的东西,涉及我要去做的,我要去说的,以便不再有什么要去做,不再有什么要去说,我觉得我勉强能够听清楚一点,因为我正在发出的声音妨碍了我,按照一种晦涩惩罚的没怎么明白的词语。然而,我被某些表达法足够地震撼了,我不禁一边继续尖声地急叫,一边赌咒起誓,说我永远不把它们忘记,甚至还有,要努力地使它们孕育出别的表达来,通过使自己膨胀为一种不容置疑的整体,而从我那可怜巴巴的嘴巴里驱赶出任何别的话语,从我那白白说尽了虚构故事的嘴里驱赶出任何别的话语,而不是它们的话语,总之,是好的话语,总之,是最后的话语。但是我却把它们全忘了,我什么都没有做,除了我现在正在做着什么事情,我真诚地希望如此。因为假如一种如此的音乐能够来到我的耳边,而且是在一种如此的时刻,我是说就在我挣扎着要摆脱一个关于临死者的沉闷故事,他们又是移动,又是互相碰撞,又是原地动弹,落入到简短的昏厥之中,那么出于一个更充足的理由,这音乐难道不应该在现在被我听到,在我只是陷入自身的困惑之中时?那还是一些推理,实际上,在走向最后的极端之前,我已经滑向了对寓言的求援中。那么在等待着认识这一可敬的器官的真正用场时,我最好还是说一些巴巴巴巴之类的话?问题已经足够了,推理也已经足够了。在多年之后,我继续下去。这就是说我曾经闭嘴了,我可以闭嘴的。而突然之间,这一声音重新继续了。所有这一切不太明朗。我说多年之后,尽管这里没有什么年份的概念。时间长短并不重要。多年,这是一个属于巴西尔的概念。长久地,简短地,全都一样。我保持了沉默,这就是一切的关键,假如这是关键,不过我已经忘记了这应不应该是关键。而突然它又挣脱了我。但是这是何等的沉默啊,我的朋友们,因为我也一样,我在什么地方也有些朋友,我感觉到这一点，有些时候，例如现在，这是何等的沉默啊，我可怜的朋友们。而实际上这根本不是什么保不保持沉默的问题，而是应该看到你保持的是什么样的沉默。我倾听了。既然要说，你就说吧。多么自由。我伸长耳朵，朝着始终应该是我嗓音的东西，它是那么微弱，那么遥远，几乎就像是大海，就像是大地，一片平静的大海，遥远，死寂——不，没有这些，没有海岸，没有沙滩，大海就足矣，足够的沙土和砾石，足够的土地，还有足够的大海。显而易见，巴西尔获得了重要性。因此我将叫他马胡德，我更愿意这样，我实在很怪。是他给我讲关于我的故事，是他为了我而生活，走出我，返回我，回到我里头，用故事送我临终。我不知道这是怎么一回事。我总是愿意不求其解，但是马胡德对我说这不太好。他也一样，他什么都不知道，但这让他烦恼。是他的嗓音，经常地、始终地跟我的嗓音混在一起，甚至于有时候彻底地盖过了我的嗓音，直到有一天，他真的离开了我，或者不愿意再离开我了，我不知道。是的，我不知道他目前是不是在那里，或者他已经远去，但是假如我说我再也不会为他的鲁莽无礼而痛苦了，那我不认为我是说错了。在他不在的时候，我会试图让自己镇静下来，忘记他曾对我说的话，关于我的，关于我的不幸，一些滑稽可笑的不幸，一些离奇古怪的痛苦，针对我真正的情境，可恶的词。但是他的嗓音会继续为他作证，仿佛编织在我的嗓音之中，妨碍我说出我是谁，我是什么，以便最终让我闭嘴，不再倾听。即便在今天，为了说得跟他一样，尽管他不再干扰我了，他的嗓音却还在，在我的嗓音中，但已经少多了，少多了。由于不再更新，有一天它将消失，我希望，在我的嗓音中消失，彻底地。但是为了这个我应该说话，说话。同时，我也不会隐瞒，他会回来，或者他会重新出发然后又回来，于是，一切就都将重新开始。于是，我的嗓音，那嗓音，就会说，来吧，我将要讲一个关于马胡德的故事，好让我休息休息。事情就将这样发生，他就会说，然后，重新恢复，我重新谋求真相，带着百倍的力量。好让我相信我在自由行动。但那将不会是我的嗓音，甚至连一部分都不是。事情就是如此进行的。或者故事会缓缓地开始，毫不引人注意，就仿佛什么事都没发生，就仿佛事情始终涉及我。但是我，我会完全睡着，嘴巴大张着，如习惯的那样，我会显得如习惯的那样。而从我大张开的、沉睡的嘴巴中，将流淌出谎言来，关于我的。不，我不会睡着的，我会一边哭泣，一边倾听。但是实际上，眼下涉及的是我吗？有时候，我似乎觉得是的。随后,我又看出来不是的。我尽力而为,我正在走向失败,又一次。失败对我来说无所谓,我喜欢这样,只不过我愿意闭嘴不说。不像我刚才所做的那样,为了更好地倾听。而是安安静静,作为胜利者,没有什么小算盘。那将会是美好的生活,总之是生活。我那休息中的嘴巴流满了口涎,我那从来没有足够口涎的嘴巴,我让它尽情地流淌,我的惩罚结束了,归于沉默。我说了,我肯定说了,教训,应该说是惩罚,我把惩罚和教训给弄混淆了。是的,我有一种惩罚性的功课要做,然后才能自由,自由地摆脱我的流涎,自由地摆脱我的沉默,不再倾听,还有我不再知道的什么东西。现在这总算对我的处境有了一个概念。他们给了我一个惩罚,兴许对我的诞生,兴许为了惩罚我出生在了人世,或者根本就没有什么特殊理由,只是因为人们不喜欢我,我忘记了原因到底在哪里。但是人们从来就没有对我有什么特殊规定吗?你推呀,我的朋友,用力地推呀,别滥用力气,但要稍稍用力地推,兴许说的就是你呢。有时候,我对我自己说你,假如是我在说话的话。你兴许会击中目标。在一万个字词之后?总之,中了一个目标,以后还会有别的目标。对我说话,我还没有对自己说够话,听个够,回答个够,安慰个够,我说话为的是我的主人，我竖起耳朵为的是听我的主人的话，但它们从来没有来到过。很好，我的孩子，很好，我的儿子，你可以停下来了，你可以歇息了，你可以走掉了，你已经获得特赦了，你已经获得减刑了，它们从来没有来到过。我的主人。这是一个应该不错眼珠地死死盯住的好运。但是眼下我，我却是——实际上，他们兴许有好几个，整整一个暴君财团，互相之间分别确定对我的关系，相当一段时间以来就磋商审议，时不时地听我说话，然后再去吃饭或者玩牌，悄悄地，花天酒地，偷偷摸摸，拖拖拉拉——惩罚，这已经是家常便饭了，我可以把这看作，似乎可以，那种很快就被抛弃的教训，很快地被无情地……抛弃，心里暗自说，假如我要接受一个处罚，那是因为我没有完成我的功课，而当我做完处罚的作业，我还得复习我的功课，而只有在这一时刻，我才会有权利安安静静地待在我的角落里休息，享受生命，闭着嘴巴，闲着舌头，远离任何的打扰，任何的声响，心中平静，也就是说虚空。但是这很少能让我前进。因为我老是受到惩罚，不得不写很多的字，我还得复习好多的功课，除非我不会把两者弄混淆了，而这显然也不是不可能的。这真是一个奇怪的概念，实在是靠不住，居然有一个任务要完成，然后才能安安静静地休息。真是一个奇怪的任务，要来说一说自己。奇特的希望，返回到沉默和宁静之中。因为只有我的嗓音，只有那嗓音，所以义务的概念一旦被扔弃，我就很自然地看到了我有某种东西要说。还有。因为没有了双手，但兴许我必须鼓掌，或者要一只手拍着另一只手地招呼一下侍者，这将是最麻烦的，又因为没有双脚，但是我还得跳卡曼纽拉舞。但是，让我们首先假设，以便稍稍向前进一步，然后我们再假设别的什么，再稍稍向前进一步，因为那毕竟涉及另外的事情要说，只要它到目前为止还没有由我说过。这是一个应该可以自圆其说的假设。但是由此要想让这成为一种跟我有关的事情，那就突然显得有些胆大妄为了。但是假如这是对我主人的赞美和歌唱，好让他来宽恕我呢？或者假如承认无论如何我就是马胡德，而那个被马胡德冒名顶替的人的全部故事从头到尾全都是假的？瞧，马胡德会是我的主人吗？眼下，我的话就说到这里为止吧。在那么短的时间里，就已经有实在太多的前景了。确实，这有一些不太可能，在这一阶段，让我离开问题，就像我当初承诺过的那样。不，我只不过是起誓不再套用那些格式了。谁知道呢？兴许，不久之后，我会碰上幸运的安排，能够阻止它们在我的，怎么说呢，让我们别太文绉绉的了，在我的精神中形成。因为我所做的，不会在没有丝毫精神的情况下做到。兴许那不是我的精神，这没关系，我随便它好了，但是，我会从中汲取力量，最终，通过努力，我会变得像模像样。丰富的营养材料，有待开发，哦，对了，要汲取到心中，推进到很远很远，同时又很有意思，我为之颤抖，唠唠叨叨，颤抖并经过，我有时间，我已经忘记，哦，对了，刚刚成为问题的东西，一下子，一件重要的东西，它走了，它将回来，没什么遗憾，崭新鲜亮，一件陌生的东西，当我准备得更充分，希望如此，来对付这第一流的累人的玩意。一段时间以来只有我们。简单说。主人。我不怎么担心，太不担心。还有相当多的兴许。这办法用滥了。我要禁止我做一切，哪怕就这样走下去。主人。东一处西一处地有一些影射，仿佛针对一个骄奢淫逸的暴君，要让我抱怨。他们给我衣服穿，还给我钱，诸如此类，略过算了。再也没有别的了。或者莫朗的老板，我忘了他的名字。哦，对了，某些事情，我做的，以为做得很好，充满了怀疑，累得筋疲力尽，我回想起它们来了，并不总是同一些。至于要更深入地对待这个故事，带着那么多无用的热情，比如说跟驯从的热情一样，我希望是我的热情，或者跟我的热情类似,走我的热情的道路,我却从来没有想到过。而假如现在我想到了,那是因为,我自己的故事,我对达到它已经绝望了。一时间的泄气,打铁还得趁热。至于我的主人,要设想他在我的形象中是唯一的,他是为我好,可怜的人,是为我好,假如他看起来并不像是什么干大事的人,那是因为事实上并没有什么大事可干,我说什么好呢,那是因为没有什么事情可干,事情应该是这样,我的好主人,我的强有力的主人,已经有很久了,可怜的人。另外的假设:他做必须做的事,关于我的事情(因为他显然还有别的被保护人)他的决心已定而我却一点儿都不知道。第一种和第二种情况。我要稍稍地关注一下第一种,假如我能够的话。然后我屈尊对付第二种,假如我还能站得住脚的话。这个看起来是马胡德的一个插曲故事。然而却不是,马胡德的所有故事都是有关我的。但是,你快快俯下身来,我亲爱的,要不然你就会忘记。这一位真叫人遗憾,这不幸的人,这都是我的错,以至于没有什么事情可干,而他却是如此渴望,他这个习惯于发号施令、让别人服从的人。这一个就是这样,自从我存在以来,处于休息的状态,我相信足以刺激他,督促我要好自为之,要悠着一点,假如他去对付死气沉沉的材料的话,就会有许多的成功。假如他不满意这一赞颂,我就要——我要说的是上吊,但是这个,我无论如何是想要的,毫无保留,我要说的是毫无紧缩,这让我喘不过气来。不幸的是我没有脖子。我愿意让你好,你听见我了,这就是他一直不断地对我唠叨的话。而我则要回答,以一种毕恭毕敬的态度。我也是,我的王子。我说这个为的是让他高兴,他的样子看起来是那么的不幸。我是善良的,从表面看。不,我们没有对话,他从来就没有对我说过一句话。总之,要说有多么不凑巧他就有多么不凑巧。兴许他根本就没有选择我,人们不会总是得到他们想得到的傻瓜。他所期望的好处,我的好处,还是一个故事。他还可以希望我满意,这大致看得出来。或者我能派上什么用场。或者两者同时兼有,在一种难以想象的混杂中。他那方面再多一点直率就好了,自然应该是他采取主动,这样兴许会更好些,无论从他的观点来看,还是从他借给我的观点来看。最后还是让他来解释吧。不应该由我来向他提问题,尽管我知道哪里才能找到他。但愿他能够一劳永逸地让我知道他到底要我做什么,他想为我做什么。他想要的,是为我好,这我知道,总之,这我是知道的,希望能把他拉回到美好的感情中来,假如他存在着并且,既然存在着,在听着我的话。

但是,哪一种呢,应该有许多种,兴许最高的那一种。反正要让他来照亮我,这是我对他的全部要求,好让我至少能满足一下自己,能知道我让人渴望的是什么。假如他想让我说些什么,当然是为了我好,那就让他确切地告诉我说什么,我会立即把它们吼出来。确实他已经对我少说兴许有一百次了。那么,他就只需要对我说第一百零一次,这一次我会注意的。但是我兴许错待他了,我的好主人,他兴许不像我那样孤独,我的好主人,不像我那样自由,而是跟别人联系在一起,他们全都跟他一样好,都像他那样想为我好,但是在那件事情上却又观点分歧。每一天,那上面,在每一天中,每一天好几次,从一个适当的时刻到一个适当的时刻,一切都很适当,除了对我来说的适当,他们都聚集在一起,为我的话题。除非那是一些替代者,负责制订一个众口一词的计划。在这期间我继续保持我一直就是的那样,这样无疑更好,而不是得出一个畸形的决定,或者以绝对多数通过,或者出自一个无结果的投票。他们也一样,在此期间,他们在受苦,每个人都按照各自的可能性,因为我不很好。现在,这方面的话说得足够了。假如这还不能说服他们,那算我活该,我可以继续构思它。瞧,一个假设,在我想的时候,在我还没有忘记之前。假如他们厌倦了，洗手不干了，把我解脱了呢？兴许这样对我有好处。我看不出会如何。我兴许可以闭嘴，永远不说话。不，所有这一切都不是认真的，我解脱了，被抛弃了。瞧，这再一次把一切弄糟。马胡德本人离开了我，我清静了。这一个有任务要完成的故事，好让我停下来休息，有任务要完成，有话要说，有真相要寻找，好能说出来，好能让我停下来休息，强加的、知道的、被忽略的、被忘记的任务，要找到，要偿清，好不再有什么要说，不再有什么要听，我虚构了它，希望能以此给我一些安慰，能帮助我继续下去，相信我就在什么地方，活动着，在一个开端和一个终结之间，一会儿向前，一会儿后退，一会儿偏离，但是无论如何始终在地盘中啃吃。要清扫。我没什么事要做，就是说没什么特别的事。我得说话，这很模糊。我得说话，又没有什么可说，没有什么话，只有别人的话语。不善于说话，不愿意说话，我却得说话。没有人强迫我，没有任何人，这是一个事故，这是一个事实。从来就没有什么能让我免除它，没有什么，没什么要发现的，没什么能让该说的话减少，我有一片大海要喝，于是有一片大海。不要弄错了，这只是我会有的最好东西，我会做到的最好东西，曾经弄错，一心想着不要弄错,一心以为不会弄错,但知道弄错了,没有弄错自己弄错了,因为无论是什么,它不会行的,它应该会行,但是不。这是一种精雕细刻的刑罚,无法去想象,去分别,去感觉,去忍受,是的,还无法忍受,我还难受得要命,甚至这个我也做得很糟,像是一只快要死去的但还站着的老火鸡,背上驮着小鸡,受到老鼠们虎视眈眈的监视。快点说接下来的事。不要叫喊,尤其不要叫喊,要礼貌文雅,要善于掌握死亡艺术,就让别人去笑话好了,我在这里已经听到他们了,它像荆棘那样噼里啪啦作响,不,这是不可能的,那是我在尖叫,远远地在我的论述后面。就是说不是随便什么东西。甚至连马胡德的故事也不是随便什么东西,它反正是那么的奇怪,不同于什么呢,我不知道,不同于我这地方,可我连这里也不熟悉,甚至还比不上人们来来往往的那地方更熟,在他们那里,他们已经踩出了道路,能轻车熟路地快速地赶去,在许多的不同的灯光照耀下,轮流着去阴暗角落撒尿,以至于那里从来就不阴暗,从来就不荒凉,这应该是很可怕的。算了。不是随便什么,但一切毕竟类似,就是如此。马胡德。在他之前有一些别的人,以为他们自己就是我。那应该是一个从父亲传给儿子的轻松闲职,因为他们看来就是一家人的样子。马胡德并不比他的祖先们更糟糕。但是在为他画出一张肖像之前,他就只有一条腿了,我的下一个存在的代表将是一个双腿残缺者,这已经决定了,大碗顶在脑袋上而屁股落在灰尘中①,简直就是一个长着一千个乳房的忒卢斯②,说得更温和一点。瞧,这是一个想法,又是一个,将来有一天,经过十几代人的努力,我兴许靠着残疾,在路人中间做到认出我的形象来。在等待中,那就是马胡德了,这一幅漫画。我将说什么呢?活该,我将说别的东西,所有这一切都值了。马胡德。假如到后来我们只有一个人呢,就像他所愿意的,尽管我多次否定?假如我真的经过了按照他的说法我早就经过的那个地方,而不是停留在这里,试图利用他的不在理顺我的事情呢?这里,在我的家乡,马胡德在这里做什么,他是怎么经过这里的?我就这样被扔进了一个无用的故事中,我们就这样面对面地相遇了,马胡德和我,假如我们就只有两个人,就像我所说的那样。我没有见过他,我也没有看到他。他对我说了他是什么样的,我是怎么样的,所有人都

---

① 这是文字游戏,"双腿残缺者"原文为"cul de jatte",由 cul(屁股)和 jatte(大碗)两个词组合。
② 忒卢斯是罗马神话中的大地女神,主管婚姻和丰产,其形象的特点是有许多乳房。

对我说了，这应该大量地进入他们的权限之中。我知道我自己做了什么这还不够，我还必须知道我是什么样的。这一次我只剩下了一条腿，但我看来年轻了不少。这属于计划的一部分。人们把我带到了鬼门关前，带到了老年的坏疽前，人们夺走了我的一条腿，而我又金鸡独立地存活在世界上到处打听刺探，像是一个年轻人，寻找一个藏身之地。只有一条腿，此外还有别的特殊符号，当然是人道的，但并不十分夸大，为的是不把自己给吓着了，为的是让自己被诱惑住。到最后他将屈服下来，他将承认，这就是关键之词。这一次让我们尝试着来一个鱼一样的光脑壳，刚刚有几根毛，他兴许会让人尝试引诱，这就是他们之间可能说的话。带着唯一的那条腿在中间，这兴许会朝他微笑。可怜的人们。他们将在我的手掌口粘上一个人工肛门，而我却不会在那里，过着他们的几乎是人的日子，刚好是人的日子，勉强是人的日子，以便能够做一个真正的人，有一天，按照他们的形象，完成我的变形。然而，我似乎觉得我有时候就在那里，我，在被控告的地点，倒塌在我创造世界的救世主的象征底下，终于完成了心愿即刻断气，眼圈发青，青得发绿，快乐得嗞嗞作响。是的，我不止一次地差一点把自己当成了另一人，以他的方式痛苦不堪，好一阵子。于是，他们打开了香槟酒。终于轮到我们中的一个了！忧伤的青绿，一个真正的乡下小子。淹没在叶绿素之中！夷平屠宰场！这应该还留在他们的心口上。实在太蹩脚的传道士用于摧不毁的蜉蝣的生命。来吧，我的羔羊，到我们中间来嬉戏吧，这过去得很快，你瞧着吧，只够拿一个母羔羊当玩具玩，这可真奇妙啊。爱情，那是一根从来不会错过的胡萝卜，我总是在蒙骗一下什么人。而正是在这一类的厕所中我有时候梦见我自己并甚至脱下了短裤。马胡德本人就差一点不止一次地占有我。我曾一时间里就是他，拄着他的拐杖一瘸一拐地走过一片自然景色，我们别太压制了，这一自然也太贫瘠了，无论如何，我们还是要公正地说，一开始人太少了。在拄了几下拐棍后我停下脚步，抽时间吞下一片麻药，量一下已经走过的道路，还要走的道路。我的脑袋也在那里，底部很宽，两坡都秃了，最后到达房屋之顶，建筑之尖，零星有几根长长的毛发，就像那些长在美人痣上的长毛。没什么可干的，我可是什么都知道了。你快承认吧，这是在诱惑。我说了一会儿，那兴许是好些年。然后我撤走了我的加入，这变得有些粗野。我已经走了足足十来步，假如能够把这叫作步子的话，当然不是走的直线，而是沿着一条很弯的弧线,它,兴许不会再把我精确地带回到出发点,似乎只会让我跟它擦肩而过,失之毫厘。我很可能被缠入了一种反向的螺旋线中,我是说,鉴于我自认为现在所处的空间的局限,其螺旋并不是越转越大越向外,而是越转越小越往里,直到最后不能再继续。这时候,在不可能走得更远的物质属性中,我无疑会不得不停下来,立即从反方向走回来,或者更晚些时候,在被卡得死死的之后,旋转几下脱出身来。这会构成一种充满趣味充满新颖感的丰富经验,假如那是真的,就像我可以在此说的那样,即便连最阴沉沉的道路也有一种另外的样子,一种另外的阴沉,回来时跟出发时不一样,反之亦然。拐弯抹角是没有用的,我知道的事情多得海了去了。但是这里有一种困难。因为假如由于不断地盘绕,假如我胆敢尝试这一省略,这在我并不太经常,假如由于不断地盘绕,确实有必要渴望走得更快,假如由于不断地盘绕,我最终会把自己卡住,不可能走得更远,因为体积会缩小,或者真正地返回到自身之中,因而不得不,这个词用得并不太厉害,再次让我一动都不能动,相反,一旦投入另外一个方向的旋转中,我就自然不会自身盘绕到无限,而没有任何别的东西让它停下来,由于人们让我处于的空间是球状的,除非它就是地球,这没有什么关系,我懂我自己。但是,困难到底在哪里?眼下就曾有过一种困难,我敢发誓。这还不算另一种情况,因为我很可能会,在任何时候,无论是在什么时候,置身于一道墙跟前,面对着一棵树或者任何别的障碍物,无论如何我可能会被禁止绕过去,这便会一下子切断我的转圈,就跟我刚才成为其牺牲品的痉挛同样有效。但是,那些障碍物,人们似乎可以把它们挪开,费一点时间,并从它们前面走过,但是我不行,我,他们会叫我停住,假如我生活在他们中间的话。但是即便没有障碍物,一旦经过赤道,我似乎觉得就应该开始往里转了,这是事物的性质使然,同时继续着自己的道路,我的脑子里就是这样想的。在我谈到的那个时刻,我把自己当成了马胡德,我应该正在绕世界转圈,我兴许要绕上好几个世纪呢。我糟糕的身体素质说起来还有利于这一假设,我兴许把我的腿留在了太平洋中,我兴许会这样说,我把它留在了那里,在苏门答腊附近的海洋上,在散发着动物腐尸臭味的满是大花草的红色丛林中,不,那是印度洋,好一种百科全书式的知识,总之,是在那里。一句话,我会回到故乡,当然是缩减了,无疑被召唤去更加缩减,然后我将找到我的父母和我的妻子,找到我的家人,把他们紧紧抱在怀里,我好歹还保留下了两条胳膊,还有在我外出时诞生的我的孩子们。我置身于一个院子或者庭院中,四周是高高的围墙,地面上混杂了泥土和灰烬,在我经过了那些开放而又动荡的广阔大地之后,这让我觉得温柔,假如人们给我的信息是正确的话。我感到自己几乎是安全的。院子中央耸立着一个微小的圆亭,没有窗口,却有枪眼洞。我不太确信我还认得它,毕竟我出门已经有那么长时间了,我对我自己说,这兴许就是我从来都不应该离开的港湾,就是在那里我亲爱的亲人们在等着我,耐心地,而我也一样,我也应该耐心。那里面麇集着一大群人,爷爷,奶奶,妈妈,以及八九个毛头孩子。他们眼睛贴着细缝,追随着我的努力,他们的心跟我一起跳动。这个如此长久以来一直荒凉着的院子,我让它变得生气勃勃。随着我在外面转圈,他们,他们则在里面转圈,只是弧线有所不同。夜晚,他们依靠着一盏探照灯,轮流地窥视着我。一个个季节就这样转过。孩子们长大了,普托玛依纳[①]的月经变得颜色浅淡,老人们一边监视一边彼

[①] 原文为"Ptomaïne",大写,疑为一个人名,但这个词作为普通名词的意思是"尸碱",指动物蛋白在细菌的作用下逐渐腐烂的过程中产生的一种有毒物质。

此说，到时候将是我来给你下葬，将是你来给我下葬。自从我在那里之后，他们就有了一个谈话的主题，甚至是争论的主题，跟以往一样的主题，当我出发离开时，兴许甚至还有生活中的一种兴趣，跟以往一样的兴趣。时间在他们看来就显得不那么长了。假如你给他一块东西吃呢？不，不，最好还是不要去打扰他。他们不愿意粉碎我的冲动，飞向他们。他变得认不出来了。没错，然而，人们还是认出了他，而那些习惯上从不互相回答的人，我的父母，我的妻子，那个当时有不少的求爱者但最后却选择了我的女人。再过几个春天他就会向我们投降了。我应该把他放在哪里？在地下室吗？我难道只能是在地下室里吗？到底是什么东西让他时刻要停下来呢？哦，他一向来就如此，我们知道他一向来就是如此，他总是要停下来，难道不是吗，爷爷？没错，从来不得安生，总是要停下来。根据马胡德，我从来就没有到达，也就是说他们全都在此前死了，所有这十一个或十二个人全都被变了质的罐头食品带走了，在可怕的痛苦中。先是被他们的叫喊弄得很不舒适，随后又是被腐烂的气味，我夺路而逃。但是我们还是不要过于提前，不然的话，我们就永远都将欲速则不达。再说这已经不再是我了。谁知道他是不是将到达，他将走向什么趋势。从去年开始，据说，他减慢了速度。哦，最后的那几圈，那可真是快。至少我的腿对他们是无所谓的了。兴许在一开始的时候，我就已经没有腿了。假如向他扔一块海绵过去呢？不，不，不应该去妨碍他。晚上，吃完晚饭，当我的妻子监视着我时，老人们就对昏昏欲睡的孩子们讲述起我的故事来。这就是茅草屋里的守夜。这是马胡德很喜欢用的一个办法，依靠着我的历史存在，招来一些自称为独立的证人证词。一个片段结束，所有人便唱起一首赞歌来。比如说，在耶稣的怀抱中平安神圣，或者，再比如说，耶稣，我灵魂的最爱，让我躲避在你的怀抱中。然后，他们散去睡觉，除了监视着的那一位，因为大家要轮流着监视。老人们说到我的时候并不总是意见一致，但是他们一致认为我曾经是一个漂亮的婴孩，完全是在一开始，十五天或者三星期期间。然而这确实是一个漂亮的婴孩，他们的交谈总是这样一成不变地结束。经常，会是孩子们中的一个，利用故事叙述的一个休息间隙，因为在这当儿我的父母正沉浸在他们的回忆之中，偷偷地在围墙中间高声地喊出那个著名的句子，然而这确实是一个漂亮的婴孩。清脆的天真的笑声，便从那些还没有被睡意夺去头脑的人的口中发出，由此赞颂着这一过早做出的判断。而那些讲述故事的人，被突然剥夺了他们忧伤的思想，情不自禁地微笑起来。然后所有人，除了一站起来腿就发酸的我母亲，全都站立起来齐声高唱，比如说，温柔的耶稣，你宁静而又甘美，又比如说，耶稣，你是我的唯一，我的全部，当我呼唤你的时候，请听我说。他也是，他也应该是一个漂亮的婴孩。于是我妻子传播了最新的消息，好让人们带着它们上床睡觉。瞧，他又一次倒退着走了，或者说，他开始挠痒痒了，或者说，他学螃蟹横着走整整十分钟，或者说，快来吧，他跪下了，显然这真值得我们瞧上一眼。人们恐怕还是应该问一问他我是不是靠近了，是不是从整体上来说，无论如何，我还是在前进，他们可能还不愿意去睡觉，在他们吃不准我是不是不知所措的时候，他们应该是睡不着的。普托托让他们安下心来。我动弹的那一刻，就有结论了。自从我靠近的时候起，在我不再留在原地的时候，就没有什么可担心的。我已经被直通通地抛出，就没有什么理由要一下子远离，这不是我的做派。于是，所有人都互相拥抱，互相问晚安，纷纷地离去，渴望好好地将歇一下补一觉，除了那个要留下来监视的人。假如我们呼唤他，那会如何呢？可怜的爸爸，他本想大声地鼓励我，那么好吧，我的大小子，这是你最后的冬天。但是，鉴于我感到的痛苦，我给自己带来的痛苦，你就会阻止他，就会强调指出现在不是要给我一个震惊的时刻。但是这一段时间里什么才是我自己的情感呢？我在想着什么呢？以什么呢？我挣扎在一种什么样的情绪中呢？是这样的，我全身心地，我援引马胡德的话，关注我的事情，而丝毫不去考虑它指的是什么，甚至也不求大概地知道。这一被传递给我的运动，对我来说，是要维持原状，尽可能以我日渐衰落的办法，因为我不可能不这样做。这一义务，还有我要完成这一义务的几乎不可能性，以一种机械的方式将我独占，除了智力和感觉上的自由游戏，使得我很像是一匹干活拉套的老马，甚至都不再梦想马厩，无论是本能的直觉，还是对外的观察，都不再会告诉它，它是不是在靠近，或者是在远离。在其他各种各样的问题中，要知道事情怎么可能处于如此状态这个问题，很久以来就不再让我操心了。这一有关我处境的感人画面并不是为了让我败兴的，记起它的同时，我还在问我自己，难道在这个院子里转圈的人实际上并不是我，就像马胡德对我肯定的那样。我有止痛药，并且大量地服用，然而这却不能允许我有致命的剂量，好完全切断我的功能，无论那是什么功能。尽管我注意到了也相信认出了那个住所，我还是不再去想它，也不去想那些亲爱的人，他们在越来越烦躁不安的等待中，把住所挤得爆满。鸟瞰下来，尽管离死亡之点很近，我还是并不加快脚步。我无疑可以那样做，但是我还应该小心谨慎，假如我真想坚持到达的话。我不坚持，但是我还是不得不尽力而为，以求到达。一个诱人的目的，我从来没有时间考虑这一点。走在前面，我把这叫作走在前面，我一直就走在前面，不然的话就是走直线，至少还是按照着规定给我的形象。在我的生命中已经没有位子留给别的东西了。总是马胡德在说话。我从来没有停下来过。我做的那些停靠并不作数。那是为了继续走。我并不利用他们来考虑我的生存条件，而是用来给我挠痒痒，尽可能地，用手掌静静地，比如说，或者给我自己打一针阿片酊，对只有一条腿的人来说，这可是不方便的治疗措施。人们经常说，他倒了，而实际上我是完全主动地躺倒的，为的是松开我的拐杖，以便腾出双手像模像样地给我打针。确实这很难，对一个只有一条腿的人，要真正地躺倒在地上，尤其当他的脑子有些迟钝而事情又很急而剩下的那条腿因为久不使用而软弱无力。最简单的办法是把他的拐杖一扔就地瘫倒。我正是这样做的。他们说我倒下了其实是有道理的，他们并没有弄错太多什么。我有时候也会不自觉地倒下,但并不经常,不太经常,一个像我这样老的老头儿,你们想一想,不自觉地倒下的情况不经常发生,他及时地让自己倒下。总之,站立着或者躺倒着,这时候我停了下来,假如你愿意的话,停下来全神贯注地为自己做着不可或缺的治疗,等待着苦痛消退,窥视着能够继续起来活动的那一刻,但是并不像他们期望他的那样,反正他们是这样说的,瞧他又停下来了,他将永远不会到达。当我,假如这是可能的话,将来走进这个房子里时,那还是为了转圈,转得越来越快,越来越紧张,就像一条患了便秘或者肚子里有虫的狗,掀翻家具,在我那些试图拥抱我的家人中间,一直到,靠着一种超级的扭曲而朝另一个方向投射出去,我重又走掉,连一声晚上好的招呼都不向他们打一下。确确实实我还要向这个故事再借用一点,这里头不可能没有真理。兴许是看到了我始终停留在怀疑主义上,马胡德便就此罢手了,仿佛事情有所意外,仿佛我不仅缺少一条腿,还缺少一条胳膊。至于相关的拐杖,我表面上相当足够地保留了相当的胳肢窝来支撑它来摆弄它,靠着我唯一的那只脚,来让它的尖头朝前挪,每当这变得十分必要时。但是让我深深感到震惊的,以至于能够在我的精神中催生出一些不可战胜的怀疑的，恰如马胡德曾经让我披挂上的那样，还是这样的一种假设，即不幸的命运降临到我的家人们的头顶，首先给我带来了他们濒临死亡的传闻流言，然后就以他们尸体的气味让我确信无疑，让我立马原路返回。从这一时刻起，我就无法再走下去了。我会解释这是为什么的，这将会有助于我想到别的东西，首先是想到赶上机会的办法，就在我期望的时间和地点，尽管我还没有太大的欲望，但那毕竟是我唯一的机会，至少我是这样认为的，唯一的机会，让我沉默，让我稍稍说一点，总之没有谎言，假如这就是他们的愿望，好让我没有必要再说什么。我的道理。我是能够给出它三条四条的，这于我已经足够。首先是我的家庭，有一个家庭这样一个事实本身就已经应该让我把耳朵捂上不再听了，但是我的良好愿望是如此强烈，有些时候，我还是有着苦苦挣扎的渴望，即便是很短暂地，即便是很微弱地，在巨大的活生生的龙卷风中挣扎，从最初的原生动物一直到最新近的人类的进化的龙卷风，这，不，没有结束的括号。我重新开始。我的家庭。首先，它在我所做的事情中没有任何关系。我从这个地方出发，也会很自然地回到那里，既然我的航行是确实无误的。而我的家在我不在的期间说不定会搬走，而安置在离那里一百公里远的地方，而无须我的旋转因此也偏离一丝一毫。至于痛苦的叫喊和分解的臭味，在此不妨假设我是可能注意到这几点的，我倒是觉得它们完全是在事物的自然秩序中，跟我学习到和了解到的没有什么不同。假如我每一次都需要在如此的表现行为面前躲避开，我也不会走得很远。我这个人，雨水只能淋洗我的表面，而我的脑袋，要不然就是我的嘴巴，充满了诅咒，我应该首先躲避开我自己。不管怎么说，这兴许正是我在做的事。这就解释了我那微微有些圆圈形的行走。谎言，一派谎言，我只需要认识，而不需要判断，不需要咒骂，而只是走去。肉毒杆菌兴许夺走了我全家人的性命，我不会让我自己一再重复这一点的，我自愿地接受它，但是条件是我的行为无须体现出这一点来。让我们来瞧一瞧事情实际上是以什么样的方式发生的，马胡德说的是不是实话。但是他又为什么会对我撒谎呢，他是那么渴望得到我的支持，事实上，我怎么会想到这点的，想到他兴许虚构了我的方式。兴许是担心让我为难吧。但是，我就在那里为难了，这兴许是我的诱惑者从来没有明白的。他们全都希望，按照一些我应该说是很可以接受的相当多样化的概念，我既存在于世界上，同时又仅仅只有一种即便不说是卑贱的，至少也算是有限度的为难。他们甚至杀死了我,并且让我了解到,我已经走投无路了,除了消失就没有任何别的办法。走投无路!这是必须让我忍受的一秒钟,在这之后我就将永远永远地稳住,轻而易举,不费吹灰之力。他们到底去寻找了什么当作沉重的打击!但是最精彩的一下,还是那个马胡德的故事,我在里面表现为被事实抓住要摆脱一大帮血缘亲属,更不用说还有两个纯粹的傻瓜,一个挨千刀的把我丢在世界中,而另一个漏斗状的,我试图在其中无休止地为我复仇。说实话,让我们至少直率地说吧,已经有好长一段时间我不知道我在说什么了。因为我实在是心不在焉。我被证明没有罪。只要你的心思是在别处,一切就都是许可的。让我们继续吧,不要害怕,就好像什么事情都没有发生过。让我们稍微瞧一瞧事情实际上是如何发生的,马胡德有没有说实话,把我当作一个孤儿,一个鳏夫,没有继承者,一切的一切,一下子。我有的是时间把它打发上天,这个闹哄哄的地方,只需呼吸就有权利窒息,我会很好地摆脱,再也不会像前几次那样了。但是,对我的诽谤者我不愿意表现得不公正。因为,他在让我转过身来,让我朝另一个方向重新出发,而却没有穷尽我所前进方向的种种可能性的时候,没有一分钟在幻想着一种我这个人的所谓道德沦丧，仿佛我会表现得想要影射他，而认为这仅仅只是一种身体上的震惊，随之是一种同一类型的厌恶，跟我家那些人的那些叫喊有关，他们违心地抵抗，都已经快抵挡不住了，还跟令人恶心的煤气有关，因为那些煤气迫使我离开，离得远远的，不然的话我恐怕会彻底地昏迷过去。事件的这一版本一旦确立，剩下的就只需要注意到，它并不比另一个更贵重，它是弄错了，假如人们正确对待我的话，我兴许会成为那样的一个造物。现在就让我们来看一看事情到底是怎样发生的。最终发现我，这是意料之中的，就在房子的里头，让我们别忘记了还是绕圆圈的形式，而在底层的一楼只有唯一一个房间通向竞技场，我在那里完成了我的旋转，践踏着我的家人中那些再也认不出来的剩余者，有的踩着了脸，有的踩着了肚子，完全是由于他们各自的位置不同，我的拐棍尖头戳进他们的身体，来到时如同离开时。要说我从中获得了什么满足的话，那恐怕是有悖事实的。因为我对自己位于一块不那么稳当的地盘上并不怎么感兴趣，因为在眼下，鉴于我最后的那些痉挛，我所需要的是一片坚固的而丝毫没有高低不平的土地。我喜欢思想，尽管我对此没什么确信，正是在我母亲的下腹中，我在好几天的时间里，结束了我的长途旅行,并且为了下一次旅行而出发。不,这无所谓,对我全都一样。伊索尔德的胸脯也能把事情做得同样好,或者爸爸的性器官,或者某个杂种的心。但是确实如此吗?在一次独立的惊跳中,我难道不是吞下了那块致命的牛排剩下的那部分吗?在这些阶段中,我有过多少次让自己倒下以躲避恶劣的气候?但是,我们还是把这一切放在一边不去管它们吧。我从来就没有在外面过,我只在这里,从来没有人把我带出这里过。不要再制造这样的孩子了,他老是听人说人们是在一棵白菜的心里找到他的,最后终于想起来那是在菜园子里的什么地方了,想起来他来到世界之前在那里过的是怎么样的一种生活。而我,我将不再说什么身体和运动轨迹了,什么天和地了,我不知道那都是什么东西。他们对我说了这个,解释了并描绘了这个,这一切都是如何的,这有什么用,一千次,一个接着一个,千姿百态,构成完美的整体,一直到我变得真正像是通晓了这一切。听了我的话,谁会说我从来没看见过任何东西,没听见任何东西,除了它们的声音?人们也一样,关于人类的话题,在他们真正愿意理解我之前,他们可以叱责我什么!我所讲到的一切,我所提及的东西,都是从他们那里获得的。我倒是很希望这样,但是这什么用都没有，这不会了结。我现在谈到是我自己，哪怕我用的是他们的话语，这将是一个开始，走向沉默的一步，走向疯狂的终结，疯狂得有话要讲却又不能够讲，除了那些跟我没有关系的东西，那些不作数的东西，我也不相信它们，他们给我灌输它们，以便不让我说我是谁，我在哪里，不让我做我应该以唯一可以了结事情的方式做的事，不让我做我该做的事。他们应该不怎么喜欢我吧。啊，他们把我给安排好了，但他们并没有得到我，还不完全，还没有。为他们做证明，直到我为此死掉，就仿佛人们会在这一天死掉似的，这就是他们想让我做的事。作为跟他们同类的人，我不能够做到开口说话而又不透露他们，而这，就是他们以为会让我受屈的地方。他们给我贴上一种话语，以为我永远也不会在使用它的同时又承认跟他们是同一伙，好一个漂亮的诡计。我将为他们安排好它，他们那莫名其妙的话。对此我从来就没有好好地明白过任何什么，对它所承载的故事也是一样，就像一些死狗。我的无法吸收，我的遗忘能力，他们可是把它们给低估了。亲爱的不理解，我能成为我自己，到最后还应该归功于你。他们那骗人的谎言将很快就什么都不留下了。那时候，我就只有我自己好呕吐的了，在挨饿的人那轰然有声却又无气味的喁儿中，完结在昏迷中，一种长期的美妙的昏迷。但是，是谁，他们吗？我难道还有必要用我的那些诱骗办法四下打听吗？不，但是，这不是一个理由。在他们自己的地盘上，用他们自己的武器，我要把他们清扫出去，连同他们那不成功的傀儡。至于我自己的痕迹，我兴许会在同一机会中找到一些。这就是已经决定了的。但是通过什么片段开始呢？奇怪的事情，一段时间以来他们不再惹我的麻烦了，是的，关于时间的概念，他们也把它强加给了我。按照他们的方法，从中得出什么结论呢？马胡德缄默了，就是说他的嗓音继续着，但是不再更新。人们是不是已经认为我足够地抹上了废话，以至于再也不能从中解脱出来，也不能做一个动作可以有让一尊石膏像活动起来的效果？但是这里头，虽然不能动，我还是可以活的，可以宣告，唯一能听到我自己。他们的品性，他们把它们加在了我身上，我拖拉着它们，仿佛在狂欢节上，在导弹底下。现在该由我来做死人了，该是我，他们不知道怎么就由之诞生了，而我的魔鬼外壳将腐烂。但是这完全是一个嗓音的问题，任何其他的隐喻都不合拍。他们用他们的嗓音把我吹鼓，如同一个气球，我想把自己排空都没有用，我听到的依然还是他们。谁，他们吗？一段时间以来，为什么什么都没有了？很可能是，他们把我给抛弃了，同时却说，知道了，没有什么东西可以从中吸取的，我们就不要再坚持了，他并不危险。啊，但是有一丝细细的人的嗓音，很不自然，喃喃地说着他们的人性所窒息的。在地牢中，被绑缚，偷偷地，受着酷刑，被惩罚去活的人的一阵小小喘息，好结结巴巴地说，还需要庆贺一下的流放到底是什么东西，小心。啪，他们安静了，我被永久地监禁在他们的话语嗓音中，将永远没有任何人知道我到底是什么，将没有任何人听到我说话，即便我是说了话，而我却不会去说了，我将不能够，我只有属于他们的话语，不，不，我兴许还将说，即便是用属于他们的话语，对我自己一个人，为的是不至于，不至于白白地活着，然后为的是可以让我闭嘴，假如正是这个给予沉默以权利，没有什么更不确定的了，是他们持有着沉默，决定着沉默，总是同一些人，同一帮家伙，同一帮家伙，真倒霉，我才不管它什么沉默不沉默，我将说我自己是什么，为的是不要，不要白白地生在人间，我将为他们把它安排好，他们的混合语，然后，我将随便什么都说，他们所愿意的一切，带着快乐，在永恒的时间中，总之，非常达观地。首先我将说我不是什么，他们可就是教我这样做事的，然后我将说我是什么,这已经着手做了,我只需要继续下去就行,从我被吓唬住的那个地方重新开始就可以了。我不是,这还需要再说一遍吗,既不是莫菲,也不是瓦特,也不是梅西埃,不是,我不愿意再一一提他们的名字了,也不是任何别的我已经忘记了名字的人,他们对我说我曾就是他们,说我曾经试图成为他们,出于被迫,出于害怕,好不再认出我自己来,没有任何关系。我从来没有渴望过,也没有寻求过,也没有忍受过,更没有认识过这一切,从来没有过对象,从来没有过对手,从来没有过意义,从来没有过头脑。但是让我们把这一切都放在一边吧。要想否定,要想遏制我所知道得那么清楚的东西,一个那么容易说的东西,那是无用的,它会回到我心中,只是为了继续说,永远说,就像他们那样,他们听到我在说,就是说,关于他们的话,哪怕是在诅咒他们,否定他们。说到他们,兴许他们就像他们十分希望我也如此做到的那样存在着,这是可能的,但我并不一定要知道这个,我也没什么感兴趣的想法,假如他们知道怎么教我去祝愿,我当然也愿意他们来教我。我不可能在摆脱困境的同时不提到他们,他们以及他们的玩意,这一点是必须注意到的。同样,要讲一个关于马胡德的故事就不能不带上另一种形式的审判，把它当作我的故事，就仿佛我已经接受了它那样。瞧，这真是一个好主意。好让我稍稍再厌恶一点。我将背诵它。在这期间，我将考虑到关注我自己的事情，从我由于被迫、由于害怕、由于不灵活而中断它的地方再出发。那将是最后的故事了。我将装作一副很乐意地讲着它的样子。这将让他们入睡，而他们希望让我的记忆凉快凉快，以我的方式来行事，在那上面，在岛上，在我的同乡、我的同派教友、我的同时代人和我的同伴中间。在这一段时间中，我将看到我该做的事，好来表现一下自己。他们将在其中看到的只有火。但是让我们首先看一下他们到底是谁，这一帮子狂热的人，但愿所谓的上帝为了我好而打发我。说实话——不，首先是故事。好让我的心疼发展到极点。岛屿，我在岛屿上，我从来就没有离开过岛屿，上帝可怜我。我还以为明白了，我的生命都用来旋转着环绕世界旅行了。错了，我只是在岛屿中不停地绕圆圈而已。我不熟悉任何别的东西，只了解岛屿。连它也不是，我连它也不熟悉，因为我从来没有过力气瞧它一眼。当我到达海岸时，我就围绕着它转，转向它的内部。那不是一种螺旋，我的道路，在这问题上也一样，我也弄错了，而是一些不太规则的转圈，有时很突然，并且很简短，像是华尔兹舞步,有时有一种抛物线的宽度,围绕着整个的泥炭沼,有时候则在两者之间,依据当时不同的恐慌程度,在某个地方,随便怎么也不变地绕着轴心转。但是在我说到的那个时刻,这一活跃的生活已经结束,我已经不动弹并将永远不再动弹,除非是在一个第三者的推动之下。确实,我这个曾经是大旅行家的人,最后一段时间只得跪在地上,然后一边爬一边滚,而现在只剩下了一个躯壳了(处于可悲的状态),上面还有一颗大家都知道的脑袋,这是我身上我最抓得住也保得住的部分描述。像一束花草插在一个深深的瓦罐中那样,其边缘一直够到我的嘴,我插在一条临近屠宰场的冷清街道的边上,我休息,最终。转过,我不是说脑袋,而是眼睛,我的眼睛有一种自行转动的功能,转过眼睛时,我可以看到马肉推广者的雕塑,一个胸像。他那石头的眼睛,没有眼珠,固定地对着我。一共有四个,算上我的创造主的两个,它们无处不在,不要以为我认为自己很受宠。尽管我并没有完全合理合法,警察还是放了我一马。他们知道,我因为不能够说话,也就不会可鄙地利用我的地位,通过在高峰时刻做煽动性的讲演,来挑动群众反对他们的上司,或者在夜晚来临时,对被饮料缠住而迟归的行人,悄悄地说一些颠覆性的话语。他们也不会不知道,因为我没有了能动的四肢,除了阳物,阳物不算四肢,我也就不会做那些能够被解释为强行乞讨的动作,可以够得上判刑的轻罪。事实上我并不妨碍任何人,除了那一类可以称之为超级敏感的人,反正他们时时处处看到的都是引起他们愤怒的一些丑闻和坏事。但是冒险小到了最小的程度。因为那都是一些尽可能地躲避开这一街区的人,他们担心面对着那些动物时会觉得特别难受,说到底,大部分的牲口还是第一次看到城市,可是却马上就要去品尝屠夫的刀斧了。从这一点来说,从我的观点来看,这地方选得很不错。但是,即便是那些相当不平衡的人,被我的眼光所震慑,我是说被我弄得心慌意乱,暂时地缩小在他们的工作能力和对幸福的态度中,都只能看我第二次,那些可以自我解决的人,为的是早早地得到心灵的安宁。因为我的脸上只反映出一个品尝了应得休息的人的心满意足。没错,在绝大部分时间里我的嘴是隐藏的,而我的眼皮是紧闭的。对啦,一会儿是过去,一会儿是现在。而我头脑的状态无疑是独一无二的,上面满是脓包和绿头苍蝇,在这附近地区,后者的数量可是实在不少,这样的脑袋使我避免成为一个引人羡慕的东西,一个表示不满的机会。我就这样被界定了,我希望如此。

每星期一次，人们让我从容器中出来，以便清洗它。这一照料任务落到了对面小饭铺老板娘的头上，她很自愿地担当起了这一义务，从不表示嫌弃，她就这样很热心地照料我，当然有时候也有一点点的不耐烦，因为她还有一个小菜园子要侍弄。尽管确实地说我根本就没有被她看中，我对她却不是无动于衷的，这一点显而易见，还没等我恢复姿势，她便趁着我大张着嘴巴，往我嘴里塞进一大块肺片或者一块带肉的骨头。当北风呼啸大雪纷飞的时候，她就过来扔给我一块有些地方能隔水的篷布。正是在这块篷布底下，在温暖和荫庇之中，我认识到了眼泪的善举，同时我在问自己我应该把这眼泪归于什么原因，因为心底里我没有感动。而这并不止一次，而是每一次我被盖上篷布时都是如此，也就是说，一年有好几次。是的，这是致命的，篷布刚刚扔过来，我那施善者匆匆的脚步刚刚消失，眼泪就哗哗地流下来了。是不是应该，是不是早应该从中看出一种感恩的结果来呢？可是，在这种情况下，我难道还不会有一种感激之情吗？此外，我隐隐约约地意识到，如果说她这样关心我，而并不仅仅是出于一种善心，或者我完全理解错了什么叫作一片善心，当人们向我解释这个词的时候。实际上我们不应该忘记，我对她来说代表了一种不可否认的价值。因为在我为她那些生菜提供的照料之外，我还成了她的小饭铺的一个坐标，甚至还可以说是一个广告，而且，比方说吧，远远地比一个硬纸板做的一个广告牌好先生更加有效，尽管他从侧面看去会是那么的大腹便便，但从正面一看，却只剩下了一溜小细条了。她根本没有弄错人，这一点突出地表现为，她很在意地为我的立锥之地做了一个装饰性的折纸彩色灯笼，这便在晚上时分增添了一种很漂亮的效果，尤其是在深夜里。而我那立锥之地，为了让过路的人能够更容易地看清楚写在那上面的灯笼上的菜单，她用她自己的费用，把它安置在了一个底座上。正因为这样我才能知道，她家的肉汁萝卜做得可是比过去差多了，但是相反，她家的胡萝卜，同样也是肉汁的，比起前些时候可是强多了。肉汁并没有变。这里头有一种话语我是几乎明白的，那是一些明确而又简单的概念，我永远都不能把自己建筑在其上，我并不要求有其他的智力营养。一个萝卜，我基本上知道它像什么东西，一个胡萝卜也一样，尤其是半长胡萝卜，或者是南特胡萝卜。我以为我有时候还真的抓住了那些不好的东西跟那些没那么不好的东西之间的细微差别。假如昨天和今天那些词语的意义超出了我的把握范围，那只不过剥夺了我需要领会其基本原则的一点点东西的快乐。比如说，那些冷拌蔬菜，我除了好话，就从来没有听到过别的。是的，我对她来说，就代表着一个小小的资本，假如我要死了的话，我敢肯定，她一定会从内心中感到忧伤的。她应该给了我一种珍贵的援助。我很高兴地想象着，到了那个致命的时刻，我欠大自然的债务最终也将一笔勾销，她一定会阻止别人把那个我在其中消耗了我的变迁的旧瓦罐，从它现在所占据着的地方拿走。而她兴许还会，在今天还能看到我一部分脑袋的那个地方，放上一个甜瓜，或者一个笋瓜，或者一个带着一小簇杂毛的大菠萝，或者更甚，我不知道是为什么，一个蔓菁甘蓝，作为对我的纪念。这样，我将不会全部地彻底消失，就像在那些被人埋葬掉的死人身上经常发生的那样。但是我可不是为了说到她才开始说了谎，又一次撒了谎。对于自己，我们保持沉默[①]，这句老话似乎应该就是我的座右铭。当然是啦，他们还给我上了猪圈里的拉丁语课，这很好，散布在伪誓中。要记住，只有在下雪时，而且还需要下得很大很猛，我才有权得到篷布。任何其他形式的反常恶劣天气，都不能在她的心中激起母性的本能，来关

---

① 原文为拉丁文"De nobis ipsis silemus"。

心我。在雪变得小起来，她前来揭去盖在我身上的篷布时，我把我的脑袋疯狂地朝狭窄通道的板壁上撞，试图让她明白我希望更经常地得到遮掩。同时使劲地吐唾沫，表示我的不满。她什么都不明白。我心里在问，她会在这样的行为举止中找到一种什么样的解释。她兴许会去跟她的丈夫说这些事，好从他的嘴里听到说一句，说我只不过正好在那里神经发作，而实际上正好相反，这句话是从她的嘴里说出来的。我们两个对对方都有些误解，让我们说话都再公道一些，我在那里发出信号，她在那里解释它们，总免不了产生误解。这个故事什么用都没有，我几乎正在相信着它。但是让我们来看一看它会以什么样的方式结束，这会让我对此产生一些想法。让人厌烦的是，我已经把它的后续给忘了。但是，难道我曾经知道过它吗？我在问自己，假如马胡德不让我的故事停止在那里的话，它是不是就不会停止在那里。我对我自己说，谁知道呢，你已经到了这一地步，你不再需要我了。说实话，他们总是喜爱这一方法，只要发现我这里有丝毫的信号，就会突然停下来，把我悬在那里，除了他们归于我的生命，就没有任何别的更新的源泉。只是在看到我不能从中摆脱出来的时候，他们才重新抓住我的厄运之线，依然认定我的活力不够足,不可能独自一个人把他们带上。但是我并不做连接,而是多次地注意到这一点,他们并不在他们把我放下的地方来找我,而是在离那里很远的地方接走我,在另一种完全不同的外表下,兴许是希望让我相信我是独自一人与世间隔,相信我我生活得不需要任何帮助,在相当的一段时间中,既不知道是如何一回事,也想不起来是在什么样的情况下,或者我已经死了,独自一人,回到了大地上,通过母亲的产道,像是一个真正的婴儿,但已经达到了成年,甚至已经到了老年,并没有从他们那里得到任何的帮助,而只是依靠了他们提供给我的那些指点。让我背对着一种成人的生活,这对他们来说无疑是不够的,我还必须尝试好几代人。但是这并不确切。他们给我讲述的一切,兴许都跟一种唯一的存在有关,身份的混淆只是表面上的,是由于我的才能不够。当将来有一天我以我自己的方式走向死亡时,到那个时候,他们将能更好地判断,我是不是值得来阐明另一个时代,或者重新经历现在这个时代,以一种更为警惕的精神。就这样,我倒是很能够接受这样的一点,即只剩一条腿或一条胳膊的人,像我不久前那样,或者身体长得跟鱼脑袋一样的人,就跟我现在一样,只是构成一个唯一的同一个躯壳的两种面貌,因为灵魂已然众所周知地处于隐蔽之中，不会被切除或者粉碎。由于已经丢了一条腿，那我实际上就很可能忘却另一条腿。对胳膊来说也是一样。总之，很容易的过渡。但是，但是怎么去说那另一种他们赏赐给我的老年时代呢，假如我没记错的话，还有那另一种壮年时代，那时候，我既不缺胳膊又不缺腿，缺的只是利用它们的能力？还有那一种青年时代呢，那时候他们肯定把我当作死人放过我？我根本就不在他们的记挂中。他们无疑做了所能做的一切，以便跟我和睦相处，以便让我走出这里，以一种随便什么借口，从事随便什么职业。我只是指责他们执意坚持。因为比他们更远的，有那么一个人，只是在他们把我抛弃的时候，打发我的时候，他才会免除我的债务。于是，我最终就将雇用我自己，说出我曾经是什么，曾经在哪里，在那一段迷惘的时间里。但是，谁是那个等待我如此结果的人呢，假如我没猜错的话？而那另一些人又是谁，带着如此不同的企图？我对自己提出如此这般的问题，难道只是落在了他们所开的玩笑之中？然而我还是这样做了。在我的瓮罐中，我对自己提了如此这般的问题了吗？在竞技场上，经常站立着并且步行着的我，难道对自己提出疑问了吗？我缩小了。我在缩小。以前，当我挨别人指责时，把脑袋缩进肩膀中时，我可以消失。很快地，在我不断变小的进程中，我将根本用不着费劲便能这样做。而眼睛，我要把它们闭上也不会有任何困难，不再去看日光，因为瓮罐就把它们给封闭了，几英寸宽的距离。我只需要让我的脑袋靠在壁上，就能让那来自高处的光线，夜晚时就是月光的清辉，不再在那里反光，在这些小小的漂亮的蓝色的镜子中，我有时候也在其中照看我自己，为了讨他们的喜欢。又错了，又错了，这一费劲和这一困难，它们永远也不会脱离开我。因为那位女士，很不高兴地发现我越来越深地钻在里面，便不断地往瓮罐里填充锯末，好让我往上升一升，并且每星期当她为我做清洁的时候，就把那锯末换一次。这可比砂岩软乎多了，但它也不卫生多了。而且我早已经习惯了砂岩。现在我也习惯了锯末。这是一种占领。我从来就无法忍受无所事事，那样的话，人类的力气就渐渐地衰退了，而眼睛，我把它们闭上然后又睁开，闭上然后又睁开，就像以往所做的那样。而脑袋，我把它缩回去又钻出来，缩回去又钻出来，就像原先所做的那样。而尤其是在黎明时分，我常常把它缩回去，在整整一夜让它待在外面之后，这样做有一个不可动摇的意图，即蔑视那位女士，诱惑她犯错误。因为她每天的第一眼，当她清晨拉开窗帘,哗啦一声,她的第一眼,因为睡眠和舒适而依然潮湿的眼睛,看到的就是我。一旦看不到我的话,她就会焦虑起来,着急起来。因为在这种情况下只有两种可能性:要不,我已经逃走了,趁着黑夜,要不,就是我又缩小了。但是还等不到她有时间来到我跟前,我便又把脑袋猛一下伸了出来,仿佛一个长了弹簧的魔鬼,睁圆了眼睛,死死地盯着她看。因为我还知道怎么睁圆眼睛,我还知道怎么把它们闭上,并且再把它们睁开,我知道怎么把它们睁大或者眯细,随心所欲。如果说我不可能转动脑袋的话,那是因为我的脖子早就变得僵硬了,这并不等于说,它始终以同一个方向为轴。因为,由于不断运动,我已经能让我的躯体按照我的心愿任意转动各种角度,而这样的扭动,无论朝左还是朝右都可以做到。这一小小的游戏,我认为是天真无辜的,却让我,让我这个认定自己毫无支付能力的人付出沉重的代价。确实,一个人在他把它们丢失之前,常常弄不清楚自己的财富有多少。我肯定还剩有其他的一些财富,只等着小偷来偷,好让我对它们有所敏感。而今天,如果说我始终还能把眼睛睁开再闭上,如同以往那样,我却已经不能,基于我调皮诙谐的性格的缺陷,把脑袋缩回去又钻出来,就像在多年之前所做的那样。因为附属于瓮罐边缘的一种项圈,现在卡住了我的脖子,就在我下巴靠下一点点的地方。而我的嘴巴,以前是隐藏起来的,我常常把它紧贴着阴凉的石头,现在所有人都能看到它了。但是,我还应该说,这一变化并不全是坏事,它因它所带来的某些好处而显得温柔多了,而那些好处,我在以前是享受不到的,例如说,其中之一就是能够抓住苍蝇了。我把它们一逮,呼啦。还用得着说我还有牙齿吗?失去了手脚但保留了牙齿,这是何等的嘲讽。但是这会让我吃惊的。一些苍蝇。它们兴许并不太有营养,也没有一种令人愉快的味道,但是问题并不在这里,而是在别处,远不是什么有没有用,远不是什么愉快不愉快。我还抓夜蛾,它们是被灯笼吸引过来的,尽管抓它们要更困难一些。但是我才刚刚说到我的开始,在这一新的练习中,我还远远没有到达我的极限。现在,为了回到事情的阴暗方面来,我将说到,这一项圈,或者垫圈,水泥做的,极大地妨碍了我,让我不好转动。我利用这个学会了平心静气地待着。当你睁开眼睛时,眼前始终有着同样的幻觉安排,其实,这么说差不多并不是事实,我可能还得从这一枷锁中认识到其中的快乐。实际上,只有一样唯一的东西让我心中烦恼,那就是我将被吊死的前景,假如我还会一味地缩短下去的话。窒息!我这个始终在呼吸着的家伙。其证明,便是我的这一还保留着的胸腔,以及腹腔。每当我想到它,想到我吸入空气时,我都会喃喃自语地说,这是氧气进来了,而在呼出空气时说,这是脏空气排出去了,而血液变得新鲜了。蓝色的色块。舌头的淫秽推进。鸡巴的肿胀。瞧,鸡巴,我都已经不再想起它了。多么可惜啊,我已经没有胳膊了,本来兴许有什么东西好拉一拉的。不,这样反倒更好。在我这样的年纪,还要玩什么手淫,那可真是太下流了。再说那也不会解决什么问题的。不管怎么说,我对此还能知道些什么呢?一味有节奏地拉动,同时全力以赴地想到一匹马的屁股,想到它的尾巴飞扬起来的时候,谁知道呢,我兴许还会达到一点小小的什么东西。老天哪,我几乎感觉到它动了。还用不用说人们没有把我给剪掉了?然而,我似乎觉得人们把我给剪掉了。我兴许弄混淆了,跟别的卵袋弄混淆了。再说,它已经不再动了。我再一次集中精力试一下。一匹佩尔什马。快点,快点,一个漂亮的动作,瞧瞧,结束死亡,这只是微不足道的事,总之这只是他们给自己带来的痛苦,为了让你活着。基本的都已经做了。他们把你杀害得足够了,自杀得够了,好让你能够独自一个人对付过来，像是一个大男孩。这就是我对自己说的话。我再补充一句，狂妄地、快快地放弃这一永恒的惰性吧，它太不合时宜了，在这一环境中。他们不可能什么都做。他们把你带到了正确的道路上，他们给了你帮助，一直到悬崖的边缘，现在该看你的了，不靠别人帮助地迈出最后的一步，向他们表现出你的感激之情来。我喜欢这一多彩的语言，这些充满直率的隐喻的招呼。他们拖拉着穿越了大自然的种种辉煌景色的，是一个瘫痪的人，而现在，既然已经再没有什么可以欣赏的了，我就应该跳下去，以便他们可以这样说，瞧，终于又有一个人活过了。他们看起来并没有猜疑到我还从来没有到过那里，而这双翻白的眼睛，这张大张的嘴，还有嘴角上的口涎，根本就不应该归功于那不勒斯的海湾，不应该归功于欧贝维利耶①。最后的一步。靠什么？我这个从来不知道怎么迈第一步的人。但是兴许他们会很高兴看到我只是这样等待着，就让我随风飘荡好了。因为我希望如此，这是我力所能及的。但是倒是他们先沉不住气了。这是因为没有风来稳住，那就应该让悬崖崩塌。还有假如我还在那里头好好地活着的话，人们就可以期望一种

---

① 欧贝维利耶为巴黎郊区一地。

心脏停止跳动或者一种小小的心肌梗死。通常来说，他们会用棍子来结束我，为的是能够向自己证明，并且告诉阐释者和观众，我有过一个开端，有过一系列发展。随后，脚踏在我的胸脯上，那里没有任何的变化，对马路上看热闹的人说，啊，假如你们在五十年之前看到他，多么步履轻快的人，多么善于处世的人！同时完全明白一切都要重新开始。但是我兴许夸大了我对他们的需要。我指责自己惰性太强，然而我移动，我至少移动过，我可能失去了机会吗？瞧瞧那个脑袋。你会说这里头有什么东西在动，越来越远。没有什么可以对一种脑充血感到绝望的。还有什么？消化器官和排泄器官，尽管十分懒惰，毕竟有时候还在动，证明我得到了照料。这实在令人鼓舞。只要还存在着生命，就存在着希望。苍蝇，作为外部的因素，我只是为了记忆提及一下而已。它们可能会给我带来斑疹伤寒。不对，那是老鼠。我也发现了一些，但是它们有别的猫要抽打①。一条小小的绦虫？不太有趣。不管涉及什么，我都看到我太轻易地丧失了勇气。我兴许还真的可以给他们带来什么可满意的东西。但是我已经开始心不在焉了，在这条乱哄哄的

---

① 此为法语谚语，意思是"有别的重要事情做"。

街道上,他们让我那么容易地看得清清楚楚。我本来可以描绘它的,我本来是能够做到这一点的,就在一会儿工夫之前,就仿佛我曾经在那里头待过,就像他们希望我做到的那样,当然是缩小了的,再也不用太长时间,但是眼睛依然感受到印象,还有一只耳朵,相当的,还有相当听话的头脑,至少能够就如何避免这一背景的话题给我一种模糊的概念,无论那会是空无还是沉默。这始终就是如此。就在世界处于井然有序之中而我也相信我已经隐约看到了离开它的方法的时候,一切全都消失了。我的瓮罐从它的底座上升起来的那个地方,带着它五颜六色的灯笼上的彩带,连同我在那里头,我再也看不见它了,我不知道我曾经是挂靠在那上面的。兴许,我,为了换换花样,他们将让我遭到雷电的击打,或者屠夫刀斧的击打,在一个节庆的晚上,然后很快地把我卷起来,神不知鬼不觉地,卷在裹尸布中,证明已经流血了。或者他们将把我活生生地劫走,从这里带走,为了换换花样,放置在其他地方,随随便便。而在我的下一个出口,假如我还要出去的话,一切都将是新鲜的,我将觉得一切都是那么的奇特。但是渐渐地,我将习惯,靠着他们的帮忙,习惯那个地方,习惯我自己,而老问题也将渐渐地冒出来,如何过他们自己的生活，哪怕仅仅只是一秒钟，年轻或是年老，没有帮助，没有引导。而这将让我回想起其他的尝试，在其他的条件下，我将在他们的帮助下，在他们的启发下，对自己提出问题，就像我刚刚对我自己提出的那些问题一样，关于我，关于他们，关于时间的这些流逝，岁月的这些变化，还有应该采取什么方法以便最终获得成功，就在我始终遭受挫折的地方，好让他们全都高高兴兴的，最后兴许会让我安安静静的，不来烦我，自由自在地以我自己的方式来使用我，试图满足另一个，假如这就是我自己的方式的话，好让他高高兴兴的，让我安安静静的，不来烦我，给我收据以示事情的了结，给我权利来休息，来沉默，假如这也取决于我的话。从唯一一个造物那里可以期待的，实在有很多东西，从中可以强求出很多东西，首先有一些必须去做的事，仿佛他并不在其中，随后仿佛他就在其中，然后有权利休息，就在他既不在也不是不在的地方，在不得不做如此表达的舌头也缄默无声的地方。两段谎言，两套需要一直穿到头的旧衣服，直到最后松懈下来，独自一人，在无法设想的无法表达中，我就不停地杵在那里，他们就不让我留在那里。那兴许还远不如我似乎可以想象的那样令人舒适呢，最终独自一人待在那里，没有讨厌的人来烦扰。这并没有什么了不起的，休息只是他们的一个词，思想也一样。但是，这就是，在我看来，可以让我胡说八道的东西。令人痛心的，是落到新东西的头上，而我却又根本不知道，另外一根蜡烛在燃烧，而我竟然一无所知。是的，我觉得，假如我可以的话，这是我应该向后瞧一眼的时候了，假如我愿意再前进的话，这是我做记号的时候了。要是我能知道我都说了些什么，那就好了。呵，我很安静，用不着紧张，那只能是一件唯一的事，而且永远是同一件。而我，我不是那种冒险改变歌曲的人。我只需要继续下去，就仿佛有着什么事情要做，某种已经开始了的事情，有什么地方要去。一切都归结于一个词语问题，不应该忘记它，我没有忘记它。我想必已经说了它了，既然我现在说了它。我需要以某一种方式来说，兴许带着热情，一切都是可能的，首先说一说我并不是的那个人，就仿佛我曾经是他似的，然后，就仿佛我曾经是他似的，说一说我就是的那个人。然后才能够等等等等。这是一个嗓音的问题，需要延续的嗓音，当它们停下来时，要以一种很好的方式停下来，故意地，以便让我体验到，就像眼前它所愿意的那样，以一种一般的方式，我还活在这世界上。好的方式，热情，自在，信仰，就仿佛这是我自己的嗓音，说着我自己的词语，那些词语对我说我活在这世界上，既然它们愿意我就在这里，我也不知道是为什么，跟它们亿万万活的词语在一起，跟它们万万亿死的词语在一起，这对它们来说还不够，我必须也去那里，带上我那小小的痉挛、啼哭、哭闹、傻笑、咕哝，在对下一个来者的爱，还有充满理性的善行之中。但是，瞧，好的方式，我就是不知道它。这一堆蠢话，我实在是从它们那里扒拉来的，而这让我窒息的喃喃声，是它们让它充塞着我的耳朵。它们原封不动地出来，我就只有打哈欠，我听到的是它们，老得发酸的保证，对此我什么都无法改变。一只鹦鹉，它们落到一只鹦鹉的嘴巴上。假如它们对我说了应该让我来说的那些话，为了得到赞同，我当然会去说的，或早或晚。让我们来吧！这也太容易了，心儿并不在那里，必须让心儿从我的嘴巴里出来，在一大堆吹出来的牛皮中扭曲着，我最后会装作相信自己的样子，那将不再是空洞的话语。总之，让我们不要丢失希望，我兴许可以做到，以一种十分机械的方式，只要把嘴巴张大，让血液流动。但是，另一个嗓音，那个对于动物的统治没有激情的人的，那个等待我消息的人的，他的嗓音的内容是什么呢？我就这样处于难堪之中。因为对于本来意义上的我自己，我是不太理解的，我似乎觉得人们还什么都没有对我说。在这样的条件下，人们能够说到一种嗓音吗？当然不可能了。然而我却是这样做的。此外这整个关于嗓音的故事需要重新来看待，来修正，来辟谣。尽管我什么都没有听到，我依然是这一交流的俘虏。把这叫作嗓音，为什么不呢，既然人们知道这里头什么都没有。但是，看起来，这里有局限。让我们满怀信心地等待着它们吧。如此，没有关于我的任何什么。就是说没有任何的关系可循。一些微弱的召唤，至多如此，越来越远。请听我说！回到你自身上来！这就是说有人有什么话要对我说。但是没有跟我有关的丝毫信息，不然的话，言下之意，那就是我根本没有接收到一丝一毫的信息，因为我已经不在那里，我已经知道这个了。我也不是没有注意到，在一种例外的感受性的时候，那些恳求搭载的是跟马胡德及其同伙同样的交通工具。这可真不光明正大。也就是说，假如对那些即将来到的显示，我还希望拥有某一种价值的话，那也很不光明正大，以前的那些显示可是大不一样，自从他们开始有了那样一个概念，即我最好还是存活下去，他们就一直老是在骂我。但是，这一美好的希望，我马上就回头谈到了，没有等太长时间，如果我没有记错的话。至于需要提供的努力的种类,总之有两种艰辛,兴许要区分一下,就仿佛要把采煤的矿井和采石的场地区分开来,但它们又是同样的贫乏,无论从吸引力上说还是从趣味上说都是如此,我。那又是谁?划船的苦役犯,直向海格立斯之柱①而去,深夜中,骗过了苦役犯监守的警惕目光,松开了手中的划桨,爬上了船帮,呼唤着风暴的来临。除非我不再召唤它。不,不,我依然是一个召唤者。我将会,从现在起到最后的旅行,从这一片铅的海洋经过。我跟另一种疯狂弄混淆了,疯狂地想认识,想回想,他的罪行。在那里人们可抓不住我。对刚刚遭受惩罚的人来说,这很好。这话说了之后,让我们不要再想它了,什么都不要去想了,再也不要去想什么了。一些人是复数,另一个人是单数,唯一刺激我的人。他们说同一种语言,他们所教给我的唯一一种语言。他们对我说还有别的语言。我并不遗憾没有学习它们。当沉默以这种方式被打破时,这只可能是唯一的一件事。命令,请求,威胁,赞扬,指责,理由。赞扬,是的,我会任凭别人说我有了进步。很好,我的小伙子,今天我们就到这里,回家去

---

① 海格立斯之柱,古罗马时代的建筑,位于直布罗陀海峡。

吧,好好过一夜,明天我们再见。而我又在这里了,满脸的白胡子,坐在孩子们中间,随口乱说着什么,害怕被打。我将在六年级时死去,被年岁和罚做的作业压垮,重新变得很小很小,就仿佛我还有着未来,光着腿脚,穿着我那黑色的旧上衣,短裤弄得湿湿的。马胡德同学,我第两万五千次问你,什么叫作哺乳动物?我将僵僵地倒下死去,被那些基础知识弄得垮掉。但是我会取得进步的,他们对我说了,只不过进步不够大,不够大。啊。我的那些作业,我都做到什么地步了?我忘了。对我的充分成长来说,对我缺少的记忆来说,这曾经可是致命的。没错。马胡德同学,请跟着我念。人是一种高级的哺乳动物。我不能够。总是哺乳动物的问题,在这个动物园里。在我们中间,你承认吧,这又能让他怎么样呢,对这个马胡德同学,说人是这样这样的而不是那样那样的?总之,必须假设从来没有什么丢失过,既然现在所有这一切都在流淌,被噩梦所打通。这是崩溃。我要为此讨取报酬,哺乳动物,我从这里就看到这个,在我醒来之前。快点,给我来一个妈妈,好让我吸空她的奶,挤她的乳头。但是我还必须给他一个姓名,给这个孤独的人。名不正则言不顺。那么,我就叫他沃姆吧。正好是时候。沃姆。我不喜欢这个，但是我没有别的选择。这也将是我的名字，在适当的时候，当我不可以再叫我自己马胡德的时候，假如万一真有那么一天。在马胡德之前，还有另一些跟他一样的人，属于同样的血统和信仰，武装有同样的三叉戟。但是沃姆是他那一类中的第一个。人们这么说。这是因为我并不认识他。他心灰意懒，拒绝抬举我，在打下了基础之后，兴许也将被人代替。他还没有说过话呢，这可怜的家伙。他喃喃自语，我不停地听到他的喃喃声，在其他人发表言论的时候。他活得比他们所有人都更长久，也超过了马胡德，假如马胡德已经不在人世了的话。我现在还听到他，那么忠诚，恳求我不要再说活人们的这一死语言。这就是我根据语调以为弄明白了的事，那语调根本就没改变。假如我能够闭嘴的话，我会更加明白他想让我做什么，想让我成为什么，想让我说什么。到最后，就让他开始大发雷霆吧！太容易了，但是，不，我必须闭嘴，我必须屏住呼吸。但是，我肯定是没有弄明白。因为，假如马胡德闭嘴的话，沃姆也会闭嘴的。让人们要求我做不可能的事情吧，我很愿意，人们还会要求我别的什么呢？但是，真荒诞。对于我，他们迫使我讲道理。确实，这可怜的沃姆根本就没有什么用。我还知道些什么呢？但是，让我们先说完我们的想法,然后再在那上面拉一泡屎吧。因为,假如我是马胡德的话,我也就是沃姆。扑噜呼。或者,假如我现在还不是沃姆,我将来也会是他的,既然我不再是马胡德。扑噜呼。加油,现在该说说严肃的事情了。不,还没有呢。兴许还有马胡德老太婆的另外一个故事,来结束我的这种昏头昏脑吧。没有必要,只要时间一到,该做的也就都将做到,话题就在那里,永远都在那里。是的,他们的大话也应该来到,那是自然而然的。关于自由的问题,我也将探讨它,在预定的时刻,这是意料之中的。但是我也许过于快地反对他们了,这两个制造惨败的人。假如我不可能是其中一个的话,那么这难道不是另一个的错吗?如此说来,他们互相串通一气。就应该这样推理,趁热打铁。要不就是存在着一个得渔翁之利的第三者①,那就是说我,这一双重的挫折将强加到我的头上?我的真正面貌,我将最终看到它沉浸在微笑之中吗?我觉得这一景象我是看不到了。在任何时候我都不知道我在说什么,也不知道在说谁,在什么时候,在哪里,在跟谁,是为了什么,但是我兴许需要五十个苦役犯来干这倒霉的活儿,而我总是缺少第五十一

---

① 原文为拉丁文"tertius gaudens"。

个来锁上他们的镣铐,这个我是知道的,却不知道这意味着什么。关键的问题是,我永远也到不了任何地方,我也永远不在任何地方,既不在马胡德家,也不在沃姆家,也不在我的家,这根本就无所谓。关键的问题是,要手舞足蹈地一直动弹到羊肠线的尽头,只有水,只有岸,还有一个在天上大发雷霆的强健的上帝,好通过中介的坏蛋,来戏弄造物。而我,我一下子吞下了三份钓饵,而我还很饿。嘈杂声便是从那里来的。这可真不错啊,能知道自己在哪里,知道自己将留在哪里,却又不在那里!没什么别的人,只有让自己安安静静地左右为难,沉湎于永远不知道自己是何许人也的微妙之中。真遗憾,在这段时间里,我不得不给出嘴巴,这就妨碍了我一边吧嗒吧嗒地舔嘴唇,一边安安静静地流血。总之,人是不可能得到一切的,在整个倒数第二的那段时间里。总有一天他们将把我带回到表面上,这将让所有人全都同意,关于这一点,没有必要那么为难自己,为了这么一个如此微不足道的牺牲者,为了那些个如此微不足道的杀人凶手。这时候,何等的沉默啊。而现在,让我们尝试着在沃姆的身边绕上一圈吧,看看他那里有什么新闻,这将让他感到愉快,这个可爱的恶心鬼。我倒要看看另一个是不是始终在监视我。

但是,即便没有这个,那他也将会失手,他将抓不住我,我不会自投罗网送到他的手里,我是在说沃姆,我发誓,另一个没有抓住过我,我没有落在他的手里过,从过去以往,一直到如今现在。我是人们得不到的人,不会落到人手里的人,我会爬上船帮,穿上救生衣,召唤着海难啦求援啊,走向新的辉煌的一天。第三条线从高空中直直地落下,呈垂直线落下,这是为了我的灵魂。假如我知道在哪里能找到她的话,我老早老早就会抓住她了。这样我们就是四个人,这是一个四四方方的结构。我早就知道了,假如我们需要一百零一个人的话,我们就会是一百人。我总是我们中缺少的那一个。沃姆,或者,如同我曾尝试着叫他的那样,瓦特,沃姆,有关沃姆该说些什么呢,那个不能认识自己的人?关于他该说些什么呢,他曾经在我的木偶戏中,让这一场白蚁的骚乱停息?关于他该说些什么呢,他不能够对另一个说对自己说的话?瞧,兴许正是在愿意成为沃姆的同时我将最终成为马胡德!我没有想到过这一点,那么我只需要成为沃姆就行了。而这一点,我兴许会在努力成为无名氏的同时达到。那么我只需要成为无名氏就行了。我们还是停住吧,最好还是饶了我,发发慈悲吧,让我在这里停住。黎明并不总是玫瑰色的。沃姆，沃姆，一切在我们三个人之中，听天由命，让它去吧。另外，我似乎觉得，跟我可能已说过的正好相反，我兴许已经做了这一意义上的某些尝试。我本来应该把它们记下来的，哪怕仅仅只是在脑子里。但是沃姆什么都记不下来。总而言之，这就是第一个肯定，我要说的是否定，在此基础上建造。沃姆什么都记不下来。马胡德兴许还能记下来。是这样的，让我们编织吧，好好地编织。是的，记录正是马胡德的特长（特征之一），尽管他并不总是能做到，某些事情，我说什么来着，所有的事情，做到从中吸取教训，供他参考。我们确实看到他在做这个，在院子里，在他的瓮罐中，在一个方向上。我知道我只要愿意说到沃姆，就可以马上开始说到马胡德，带着比以往更多的幸福和更多的理解。他似乎一下子就跟我拉近了距离，贪婪地看着吃马肉的德克鲁瓦的奖章。这是喝开胃酒的时间，人们已经停了下来，在读菜单了。美好的时刻，尤其当它就是夕阳下山的时刻，它终于来临了，它的最后一线光辉，扫荡了楼房鳞次栉比的街道，给我本人这一个纪念性建筑带来了一个无穷无尽的阴影，横跨在溪流和人行道上。以前有一段时间，当我比现在要更能够自由地转动身子的时候，我常常欣赏这一景色，从我那项圈上看过去。那时候我就知道，我的脑袋就静躺在地上，一直延伸到尽头，到很远的地方，人们从我的脑袋上走过，从我的苍蝇上，它们也同样很漂亮地在地面上滑过。我看到人们往我爬上来，沿着我的影子，后面紧跟着他们自己那长长的颤巍巍的忠诚的影子。因为我一会儿把我跟我自己的影子弄混淆，一会儿又不弄混淆。我一会儿不把我跟我的瓮罐弄混淆，一会儿却又弄混淆。这都不一定，完全取决于我们的心境如何。而我常常能做到不犯过错，直到我不再能够的那一刻，我不再看到自己。确实是美妙无比的一刻，偶尔还跟喝开胃酒的时刻相吻合，这一点我已经强调过了。但是，这一快乐，对我来说我宁可把它看作没有什么冒犯性，对别人来说也没有危险，我却把它给放弃了，自从我有了那个项圈以来，我的那个项圈使我的脸转向了栅栏门，就在那菜单之上，因为必须让顾客能够搭配好他的饭菜而又不至于冒着被压碎的危险。这个街区中，肉食是很有名的，人们从很远的地方来，从很远很远的地方来，专门来这里吃肉。这件事一做完，人们就急急忙忙地拔脚走人。从晚上十点钟以后，这里就是一片安静，就像在坟墓里那般安静，如同人们所说的。这就是我长年观察所得出的结论，我已经积累了多年的经验，而且时不时地有所总结归纳。这里，人们杀生，人们吃肉。今天晚上这里有牛羊下水。这是一道冬天的菜，或者春秋季的菜。很快玛格丽特就要来给我照明了。她迟到了。已经有不止一个过客点亮打火机凑到我的鼻子底下，嘴里嘟嘟囔囔的，想看清楚这一次我为了显得更文雅一些而称之为当日菜单的内容到底是什么。只要她没有发生什么事情就好，对我那个好心的女保护人。我将看不到她来了，我将听不到她的脚步声了，因为天下雪了。整个大上午，我都待在我的大罩布底下。从淡季一开始，她就给我做了一个破布烂条铺成的鸟巢，裹堆在我的周围，好为我御寒。这很软和。我心里在想她是不是还要用她的大粉扑，今天晚上，在我的头顶上撒一点粉。这是她还能找到的最后的东西。为了让我放松，真不知道她还能想象出什么好东西来。她愿意我的脓包不再流汤淌水！要是大地能够震颤。屠宰场把我吞噬。透过栅栏，就在两幢楼房夹缝之间的一条通道的尽头，一小角落天空出现在我眼前。一根铁条来封闭了栅栏门，当我愿意的时候。这是北方的一小条低低的天空，又细又长。假如我能够抬起脑袋来，我就可以看见它闪耀在苍天之中。对这明确的提示，还需要补充什么吗？夜晚才刚刚开始，这我知道，让我们先不要走掉，让我们先不要说再见，哪怕只是再说一次，对这杂乱无章的一大堆。假如我在等待出现某种可以理解的事情时，再好好地考虑一下呢？来吧，仅仅做一次还算不上是习惯。一种思想几乎立即出现了，我兴许是错了，我应该更经常地沉思冥想。让我快快地把它说出来吧，不要让它就这样白白地消失了。人们并未注意到我，这是怎么一回事呢？似乎只有玛德琳感觉到了我。一个急匆匆的过路人，正在逃亡或者正在追踪，我想象我自己把他给摆脱了。但是那些在马路上东游西荡的人呢，他们显然无所事事，前来听那可怜的牲畜的痛苦叫声，来回踱着方步，等待着屠宰开始？但是那些饥肠辘辘的人呢，不管他们愿意还是不愿意，菜单张贴的位置迫使他们跟我鼻子顶鼻子地来一个面对面，气息相混相通？但是那些孩子们呢，他们惦记着娱乐游戏，在那里走过去又走过来？甚至一张人的脸，新近刚刚洗过，上面还有一些头发，在我看来，都应该在我所处的环境中，获得一个漂亮的胜利，赢得好奇心。是不是因为怕难为情，因为怕带来什么麻烦，人们才假装不知道我的存在呢？但是这里头有一种很微妙的情感，人们是很难用于那些狗的身上的，它们过来，把尿撒在我的住所，似乎丝毫没有猜想到这里面还有连皮带骨的大活人。如此说来，我的身上也没有什么味道。然而，如果说某个人应该有味道，那当然就是我。在这样的条件下，马胡德又如何能够期待我的行为属于正常呢？假如你愿意的话，苍蝇们为我打了包票，但是，直到什么程度呢？它们难道不是带着一种极好的胃口停在了一堆牛粪上吗？不，只要我一直得不到关于这一话题的明确答复，或者，只要除了玛德琳之外的另外一个人还始终不能认清我，那么我就根本无法相信，哪怕只是为了继续我的节目，人们所讲的关于我的事。比我所发现的那些证明还更确凿，人们制订的关于我的那些计划都将无一例外地失败，很快地，我将不再会接受它，因为一段时间以来，我的能力在急遽地下降。这显而易见是一个变化的原则，它会把我们带向远方。但是，就算是他们要让我前来死去，把事情做得最好，却又不能相信我自己还活在世界上，我毕竟还是付出了代价才知道，他们希望我做到的，原来并不是这些。因为，这已经好几次发生在我身上了，而他们却没有给过我哪怕是一点点的轻松时刻，在我复活之前，在蚯蚓们中间待上一阵子。但是，谁又能知道，这一次，未来会给我保留什么东西呢？愿我作为一个敏感的会思想的生命体飞快地走下坡，无论如何，这也是一件极好的事情。兴许会有那么一天，有一位先生，在死神即将降临到苟延残喘的我头上的那一刻，正好投身于他的美人儿的怀抱中，这样，他就能提供给我最后一个难得一见的短暂景象，让我能够听到他在我旁边大声地说，哎呀，让我们看一看，这个人情况不好，必须立即去叫救护车！由此，当一切看来都该重新开始时，仅凭一块石头便可敲响命定的两下。我或将死去，但我或将活下去。除非想象他成了一种幻觉的牺牲品。是的，为了不让任何怀疑继续存在，就必须让他未来的女人有时间回答他，没错，我的爱人，看起来他马上就将咽气了。在这一点上，我凝定了。而我将最终诞生于一记最后的叹息声中，或者在一记打嗝声中，而可惜的是，那些打嗝过于经常地有损于死亡时刻的辉煌形象。当我处在马胡德阶段的时候，我认识一个医生，他支持这样的观点，认为最高级的气息，从纯粹科学的观点来看，只可能从屁股中出来，一家人在打开遗嘱之前，把镜子拿到其他前面来照看的口子，不是那张嘴，而是这最后出气的一个洞眼。不管怎么说，假如不进入这些跟死神有关的细节，我就会大大地弄错，就会假设是死亡本身构成了一种征象，或者甚至是一种强大的傲慢自负，以有利于一种可预见的生活。而我，至于我这方面，我则不再坚持非要离开这一世界，而他们则试图把我硬塞在这里头，却同时又不给我某种保证，保证他们自己曾在这里头，为我提供过什么东西，比方说踢在屁股上的飞来一脚，或者给一个亲吻，不管那些关照的性质究竟是什么，既然我不可能猜想我自己就是那些行为的主动施与者。不，我在那里可是受不了了，因为我知道，这一点儿用处都没有，也改变不了什么东西，也了结不了什么东西。但是，有三分之二的部分向我证实，以十分客观的方式，那里，在我的眼前，而我只需要负责其他的就成。当你睁大眼睛看到里面去时，一切就变得简单而又明确，其条件当然是预先就将它放到外面来，为的是能够更好地进行对照。我可是实在不愿意停止在那么好的一条道路上，尽管我也无法继续前进了。因为我也不会再那么早地重新开始了，啊，不，这一次。还有，我也受够了这婊子养的第一人称，这实在也太多了，根本就不涉及第一人称，那样的话我将只会自讨苦吃。但是问题也并不涉及马胡德，还不到时候。更不涉及沃姆。好了，人称代词用什么并不重要，只要你不把它们搞错就可以了。然后，习惯成自然。再后来，我们走着瞧。我到底到了哪里？啊，对了，到了简明扼要。让我们试着把这位可怜的玛德琳放在其中吧，他对我是那么的好。那么多的考虑和那么多的热情，要注意到我，有什么东西能禁止我从中看到一种足够的证明，证明我确实在场，布朗西翁街，奇怪的岛，我的家园。每一个星期天，她难道不是都要为我清除我那可悲的排泄物，每当白霜临近的季节，她难道不是都要为我做一个窝巢，为我御寒避雪，为我换锯末，在我发病的脑袋上撒盐吗？我希望我什么都不忘记，假如我不在那里的话。她难道不是给我戴了一个项圈，为我抬高了底座，为我配置了灯笼，而并不确信我会那么稳定可靠？能够意识到这一显然性，我将会多么的幸福，但愿它包含的公正得到实现。不幸的是，我认为它更多地属于那种最靠不住的东西，甚至是无法接受的东西。对一段时间以来在我这地方加倍出现的那些关照，你能想到什么？难道它们不是显示出了一种极度的内心慌乱？这跟她与我关系的最初阶段中的那种宁静有着何等的差别，那时候我只是一星期才能见到她一次。让我们明说了吧，这个女人正在逐渐地失去信心，对我的信心。她试图让那样的一个时刻推迟到来，当她每一次前来看我是不是依然让我自己沉浸在想象之中时，她不得不承认自己弄错了。同样，对上帝的相信，就算是很稳重地来说吧，有的时候，在一种加倍的热情和认真的奉行教规之后，看来也有丧失。这里,请允许我指出一点小小的区别(我看来始终还在思想中)。愿我的圣坛真的就在那里,我根本就不想否定这一点,但这跟我没有什么关系,尽管,在这样一个其真实性本身就让我捉摸不定的地方,存在着一个那样大的瓮罐,在我看来根本就不太像是真的。不。我只是怀疑我自己会待在那里头。举起一个庙宇来,比起让崇拜对象落到庙宇中,倒要容易得多。但是我把周围的一切全都弄混淆了。这就是种种微妙区别的所在。没什么要紧的。她喜欢我,我始终感觉到这一点。她需要我。她尽管开了一家店铺做买卖,有一个花园,一个丈夫,兴许还有孩子,在她的心中还是有一种空虚,只有我才能将它充实。在这样的生活条件中,她有一些幻象,那根本就没有什么可大惊小怪的。有那么一个时期,我以为在她的身上看到了一个跟我十分亲近的亲戚,母亲、姐妹、女儿,谁知道呢,兴许还是一个妻子,正在把我隔离起来。这就是说,马胡德,看到我并不怎么把他的主要作品当作我自己的,便提醒我这一假设,并补充说,我什么都没有说。乍一眼看来,她并不像她表现出来的那样稀奇古怪。而某些稀奇古怪,甚至在它们还没有让我感到震惊时,她就已经把它们吸收掉了,仿佛在她传播的时候,我根本就不存在似的，在那些并未得到预告的人的眼中，也就是说所有人的眼中。但是既然承认人们选择了把我隐藏在公共道路上，为什么又要费那么大的劲，一味地强调我的脑袋，让它从夜幕降临起就要像艺术家那样地被照亮呢？你将会对我说，叫什么名字并不要紧，只有结果才是最要紧的。还有一件事。根据我的记忆，这个女人从来没有对我说过一句话。假如我说过相反的话，那我就是弄错了。假如此后我会那样说的话，那将是我弄错了。除非我现在正好弄错了。无论如何要依据材料，要依靠论据。从来没有过一个亲密的字词，从来没有过一声斥责。生怕让我成为众矢之的？或者担心会驱散那幻影？我将做一个简述。那一天就快来到了，她就将否认我了，我唯一的忠诚者。什么都没有发生。灯笼一直都没有点亮。是不是在同一天晚上。晚餐的时刻兴许已经过去了。玛格丽特很可能已经来过了，走了，又来了，又走了，跟往常一样，而我却丝毫没有发觉。我兴许以我所有的火花闪耀着光亮，闪耀了好一会儿，自己却没有猜想到。然而，已经有什么东西改变了。夜晚跟往常很不一样。那并不是因为我没有看到星星，很少会有一颗星星出现在那里，在我能够看见的那一小角落天空中。那并不是因为我什么都没有看到，甚至连栅栏都没看到，这倒是经常能看到的。那也不是由于沉默，这里的夜晚是很安静的。而且我已经半聋了。我已经不止一次白白地竖起耳朵朝向嘈杂的马厩。突然之间一匹马嘶鸣起来。于是我将知道，什么都没有改变。或许我将看到守夜的保安打着灯笼，从院子里经过，灯笼提在他膝盖的水平上。必须耐心等待。天气很冷，今天早晨下雪了，我的脑袋上感觉不到冷空气。兴许我还在篷布的遮盖下，她兴许又给我盖上了篷布，生怕夜里当我沉思冥想的时候又会重新下起雪来。但是这样一种我如此喜欢的感觉，有篷布压在我的脑袋上的感觉，它也没有了。是不是我的脑袋变得迟钝得没有感觉了？就在我沉思冥想的时候，我是不是脑袋上挨了什么人一闷棍？我不知道。我要耐心一点，不要对自己提问题，要小心在意。好几个小时过去了，现在应该又是白天了，什么都没有改变，我什么都没有听到，我什么都没有看到，我的脑袋什么都没有感觉到。我把他们放在了他们的责任感面前，他们兴许已经把我给放了。因为这一种被彻底地关起来，没有任何东西碰到我的感觉，还是全新的。锯末不再压迫着我的残肢，我不再知道我会在哪里完结。昨天，我离开了马胡德的世界，街道，小饭铺，屠宰场，雕塑，还有，透过栅栏，像一支石笔那样的天空。我将再也听不到牲口的嘶叫声,也听不到餐叉和玻璃杯的丁零当啷声,也听不到屠夫那愤怒的大嗓门,也听不到过路人唠唠叨叨念菜名和价钱的声音。将不再有女人白白地希望我活着,到了晚上我的影子将不会抹黑地面。马胡德的那些故事结束了,他明白到它们不可能跟我有关。他放弃了,倒是我赢了,尽管我为了输掉而使出了浑身的解数,试图让他觉得舒心,好有个宁静的环境。可是赢了之后,我还会有宁静吗?人们恐怕不会这么说,我的样子也不是闭嘴不说。此外,所有那些假设无疑都有些差错。人们兴许还会将我抛出去,佩带着最好的武器,向死神发起进攻。但是我们最好还是对正在发生的事情有个了解,以便对付起来心中有数。我们不应该忘记,但有时候我却忘记了,一切都是一个嗓音的问题。所发生的事情,都是一些词语。我说了人们告诉我让我说的话,希望有一天人们会对我说话。只不过我说得不好,既没有耳朵,也没有脑袋,也没有记性。现在我听到我自己说是沃姆的嗓音在开始,我传播消息,为了它所值的东西。他们是不是相信我,相信是我在说话?那同样也是他们。为了让我相信我有一句我自己的话要说,我能够把它说出来,就像他们能把他们的话说出来那样。这依然还是一个圈套，为的是让我突然置身于，咯啦啦，活人们中间。他们没有给我好好解释清楚的，应该是如何落到其中的方法。他们将永远没有道理拿我的蠢笨开玩笑。他们为什么要这样对我说话？兴许就在他们跟我胡搅蛮缠的时候，某些事情发生了，一些很重要的事情，而对这些东西他们根本就无能为力。他们是不是相信我，相信是我提出了这些问题？这同样也是他们。兴许稍稍有些不近人情。我并没有说这不是好办法。我并没有说他们最终不会得到我的。我很愿意这样，被抛出去。让人疲倦的是这一围猎，是这些没完没了的围捕。那些形象，他们想象只是不断地使用这些形象，最终一定能够把我迷惑住。就相当于母亲们给婴儿把尿时总要吹口哨，免得孩子尿不出来。他们，是的，他们，他们现在全都在同一个口袋中。该沃姆来表演了，人们让他出场，我希望他快乐。不妨说我认为他对人们试图让我变成的那个样子抱有敌意。不妨说我看到他身上，要不然就是我身上，向我迈出了一步。带着我成为他，他这个反马胡德的人，即便随后可以对我说，但是我到底在做什么，我，难道不是，稍稍地，享受一种唯一可能的生活吗。这就是手法。或者通过荒诞说服我存在于世，荒诞得不可能存在于世。不幸的是，得到预告对我毫无用处,假如我得到预告的话,因为我从来没有长久地得到过预告。此外,我特别希望他获得成功,在他那勇敢的事业中。而且我甚至还将跟他合作,就如同跟马胡德及其同伙,在我力所能及的情况下,因为我不能不这样做,反正我只能做我力所能及的。沃姆,如果说他自己还不知道自己是什么,他在什么地方,发生了什么事情,那实在还是说少了。他所不知道的,是他还有一些事情需要知道。他的理性什么都没有教会他,无论是关于他自己,还是关于别的什么,而这一区别对他来说也是那么的陌生。什么都不感觉到,什么都不知道,然而他却存在着,但是那不是为了他,为了人们,而是人们在那里想象他,在那里说,沃姆就在这里,既然我们想象出了他,就仿佛他只能有一种被想象出来的存在,哪怕只是由正在过这种生活的人想象出来的。人们。一个单独者,随后其他人。一个单独者转向了这个一无所能者,这个一无所知者,这个总是萦绕在他脑子里的人,然后其他人也这样。他这样地想象着这个人,他愿意自己成为他的食物,而那人就是饿鬼,而且那饿鬼没有任何东西像个人样,没有任何别的,没有任何什么,也不是任何什么。来到世界上却并不诞生,并不留在其中生活,不希望死去,而成为快乐、苦难、平静等等的震中。这东西越是没有变化，人们还就越是认为它更真实。谁若脱离了生命，久而久之，长长的无谓的生命就愿意不停地存活着。要不惜疯狂地说话，疯狂地思考，知道自己现在是什么，曾经是什么，在狂乱的梦幻中，在那上面，在天空底下，走出夜空时。那个不知晓自身并且不开口的人，是因为不知道才闭嘴，是因为不可能存在，才不再白白地努力的。而被别人围绕着的那个人，有自知之明的那个人，得到永远是同样的鬼脸。感谢这些最初的定义。它们真是能够鼓励人啊。而这还没有结束。那个寻找自己真正面貌的人，就让他放心好了，用不着这样焦虑不安，这样睁大了眼睛，他将会找到它的。那个愿意在他生活期间曾经有所经历的人，让他安下心来吧，生活将会告诉他是怎么回事。这都是一些很严肃的劝慰。沃姆，就算是沃姆吧，你将看到这是不可能的，好一只天鹅绒的手套，由于不断地碰撞，手指节都有些磨损了。啪呼，让我们设身处地地为那个只看见了蜡烛的人想一想吧。布匹的上浆开始了，瞧这一匹被人摸了一通够的糟糕的布又回来了，软软地展开在那里，如同当初那样。但是这仅仅只是一个嗓音的问题，任何其他的形象全都应该赶到一边去。但愿它最后从我的心中穿过，很好的一个问题，最后的一个问题，是那个没有问题的人的问题，是他自己供认的问题。难道他们以为，用他们越来越清楚的喉咙，就能让我昏昏入睡了吗？让我成功或者失败，这到底能让我做什么？这些个事情根本就不是我的。假如他们愿意让我取得成功，我就去失败，为的是好把他们都甩在我的背后。在我所说的这些话里头，是不是有一个真正属于我自己的字词？没有，我没有嗓音，在这一章节中我还没有嗓音。正是因为如此，我才被我跟沃姆搞混淆了。但是，我同样没有理由，没有理由，我跟沃姆一样，既没有嗓音又没有理由，我就是沃姆，不，假如我是沃姆的话，我就不会知道这一点了，我就不会说这个了，我就什么都不会说了，我就什么都不会知道了，我就会是沃姆。但是我什么都没有说，我什么都不知道，这些嗓音也都不是我的，这些思想也都不是我的，这些嗓音和思想其实都是盘踞在我心中的那些敌人的。他们让我说我不可能是沃姆，这个无法取代的人。他们让我说我兴许就是他，就好像他们也是他似的。他们让我说尽管我不可能是他，我还得成为他。而因为不可能成为马胡德，就像我很可能做到的那样，我还就得成为沃姆，就像我不太可能做到的那样。但是，难道始终是他们在说，因为我不能成为沃姆，我就得成为马胡德，按照有关规定，转弯抹角地？就仿佛，来一点点安静吧，就仿佛我已经变得相当大，能够从言下之意中就听明白事情的真相，可是不对，人们弄错了，我还需要有解释，对一切都需要解释，而且，我还听不明白，正是因为这样，到最后，我会以我的愚蠢，让他们感到恶心，是他们这样说的，好让我睡着，好让我相信我自己比我实际上还要更愚蠢。难道始终是他们在说，变成沃姆之后，我将违背各种期望，最终成为马胡德，一旦时机成熟，沃姆就被证实是马胡德了吗？啊，假如他们愿意开始的话，就让他们把我当作他们愿意的随便什么人好了，但愿这一次他们获得成功，把我当作他们愿意的随便什么人，我随时准备成为他们愿意的任何人，我已经厌倦了成为物质，物质，被人白白地拿捏。或者由于厌倦，他们也把我放弃了，成为一堆，成为那样的一堆，连他自己都从来没有足够疯狂到想赋予它一个形状。但是他们并不同意，就算他们全都意见相同也没有用，他们不知道他们打算拿我当作什么，他们不知道我在哪里，也不知道我究竟如何，我如同灰尘一般，他们想让我从灰尘中出来成为一个人。这就是他们灰心丧气地任由自己一如既往的地方。这是为了忽悠我，这是为了诱骗我，为的是让我觉得听到我自己在说，最终是我在说，最终是在对我说，说那不太可能是他们在这样说，说只可能是我自己在这样说。啊，我是多么愿意发现在这一合唱之中有一个我自己的嗓音，那样的话，那可就了结了他们的为难，也了结了我的为难。他说了，他相信他说了，他是我们的人，现在，快点，让我们全都闭嘴，全都闭嘴。正是由于这样，我们才有了所有这些小小的沉默，好让我最终来把它们打破。他们认为我忍受不了沉默，可怕的沉默总有一天会迫使我起来打破它们，无论以什么样的方式。正是由于这样，他们每时每刻都在停下来，试图把我一直推到头。但是他们不敢缄默太长时间，作品可能会崩溃。没错，我并不喜欢它们，那些洞洞，所有人都趴在那里，竖起耳朵窥伺着一种由人发出的喃喃声。那不是沉默，那是陷阱，我不会希望别的，只希望能够掉在那里，发出一记小小的可以被看作是人的声音的叫喊，就像是受了伤的狒狒，最初的一个和最后的一个，撒完一泡尿，然后消失，一劳永逸。总之，假如他们成功地让我把一个嗓音借给了沃姆，在一个很惬意的时候，谁知道呢，我兴许会把它当作我自己的嗓音，在一个迷茫的时刻。这就是说定了的赌注。但是他们将不会成功的。他们能够让马胡德说话吗？依我看起来不会的。我相信莫菲时不时地说一些话,其他人兴许也是,我不记得了,但是那做得不好,我看到了会腹语术的人。我感觉那就要开始了。他们应该把我看成是足够的迟钝愚笨,用他们那些生存的和生活的故事来对待我。是的,既然我现在忘记了沃姆是谁,他究竟如何,他在哪里,他做了些什么,那么我就来成为他好了。一切都不超过那些文科预备班学生的话语。快点找一个地方。没有入口,没有出口,稳妥的地方。不要像伊甸园那样。把沃姆放在其中,什么都不感觉到,什么都不知道,什么都不能够,什么都不想要。直到那一刻他听到那种声音,它将不再停止。于是,那就是终结,就不再有沃姆了。我们知道这个,但我们不说,我们就说这是沃姆的觉醒,是他的开始,因为必须说些什么,现在必须说一说沃姆,必须能够这样。那已经不再是他了,但是让我们装作始终还是他的样子,耳朵颤抖着,把他交给不幸,交给那些祈求的方法,眼睛睁大虎视眈眈地窥视着,脑袋辛辛苦苦地思索着。是的,让我们把这个叫作沃姆吧,这样,就可以像在耍把戏的最后那样大声叫喊道,但是,请看,这依然还活着,到处都活着,始终都活着,是所有人都在谈论的那种活着,唯一可能的活着。这个可怜的沃姆,他自以为是另外一个人呢,他这个什么都不相信的人,看起来他是把自己错认为一个终身囚禁者,或者一个白痴。我到底在哪里?这是我在度过了一段监听的生活之后的第一个想法。对这样一个始终没有答案的问题,我跳起来,离开它,跳向别的问题,更为私人化的问题,也更晚的问题。在重新处于昏迷之前,我兴许最终将把自己看成是还活着,从技术因素上能够说话。但是,我们还是一步一步地慢慢来吧。我将竭尽我的所能,像以往那样,既然我无法做成别的样子。我将尝试着让自己随便去做,比以往任何时候都更像一具尸体。那些词语,我是怎么接受它们的,或者通过耳朵,或者通过一个小喇叭,在肛门中号叫,我就怎么把它们再给出去,通过嘴巴,在它们彻底的纯洁中,在相同的秩序中,尽可能地。这一微不足道的犹豫,在到达与出发之间,这一带给排泄的轻微的延迟,我把它当作我自己的事情,这是我所能做的一切。随着一下子的喷出,关于我的真相终将把我摧残,当然这里始终有一个保留,即他们不会继续结结巴巴地说话。我听着。再也不能推三推四的了。我是沃姆,这就是说我再也不是他了,既然突然之间我又能听见了。但是,这一点我将会忘记的,在苦难的炎热中,我将会忘记我不再是沃姆,却是某种第十等级的杜桑·卢维杜尔①,他们算得很对。沃姆,我发觉了这一将不再停止的声响,同时在一种无名的单调的深处,证实了某种多样性。在我不知道是什么样的永恒之后,人们并没有对我说,我有着足够激化的智力能够知道,那是一个嗓音,而在我可以吹嘘自己已经有了一条腿的大自然中,它属于听起来更不舒服的声响,不会迟迟不让人听到的声响。快去在这之后讲述这一点,我没有赋性对付人类的生存境况。自从这最初的不幸以来,已经走过了多少道路。多少次摆脱迟钝的神经发作,带着可怕的火气,脑子里发火。这个的时间很长,时间很长,剥了皮的模型,需要组织。要知道这什么都不是。一件蠢事。共同的命运。一个儿戏。它不是永恒的。必须赶紧去享受。人们对我说到了玫瑰。我终将闻到它们,事情就是这样发生的。然后他们将把重点放在荆棘上。多么奇妙的真相啊。那些荆棘,将需要有人来把它们扎进我的身体,将像当年对付耶稣那样。不,我不需要任何人,有一天,它们将开始在我的屁股底下推动我走,自个儿就行动起来,我将觉得是在自身的条件上飞翔。一个

---

① 杜桑·卢维杜尔(Toussaint Louverture,1743—1803),海地独立运动领袖,黑人,奴隶之子。

荆棘大碗，喷香的空气。但是我们还是不要急于求成。我依然让人渴望，我没有任何一技之长，任何一技之长。瞧瞧，我还不知道怎么移动，既不会在地点上移动，相对于我的位置，也不会在总体上移动，相对于跟狗屎的关系。我不会想这样做，我想这样做也白搭。不是由我造成的就别来找我。同理，我的理解力还不足以随机应变地能够运行除了在这些极端紧急的情况下，像第一次出现的一次剧痛似的。例如，一个语义学的问题，说是可以加快时间的脚步，却不会约束我。我可不信，客观无私的思辨的喜悦，时间被取消了的思辨。我自己只想，如果那就是像人们熏赶的一群胡蜂的眩晕的疯狂，我已经超越了某种程度的恐惧。这是不是就意味着，多亏了适应，我已经越来越少地面临这种危险呢？这会是错误地了解我所遁入的剧目的广度，而它，似乎，根本无法与等待我的事情相比，在刚刚结束见习期的时候。这些光线，在远方的低处照耀，然后它们急速升起，膨胀并朝我猛扑过来，炫目地，为了把我吞没，这只是一个例子。我徒劳地熟悉它们，它们总是让我思考。一成不变地直到现在这最后一刻，恰恰像我开始打蔫，它们熄灭了，同时冒着烟并呼啸着，不管怎样，我的冷静完蛋了。可是在我的脑子里，我开始确切定位了,高处稍稍偏右,闪光融化了并因四壁而重归死灭。有时我想我自己也在一个脑袋里,是恐惧让我这么说的,还有置身安全的地方,四面八方被厚厚的骨头裹住的欲望。我还要说我不应该听任自己为另一个人的想法担忧,用无害的微光砍掉我的天空,用毫无意义的流言环绕自己。但是每件事自有它自己的时候。但一切事情常常静止不动,就像当我真是沃姆的时候,除了歪曲我的这个声音,它从未停止,但是经常变得混乱和犹疑不定,好像它就要放弃。但这只是减弱的片刻,除非是故意的,为了让我学会期待。这真滑稽,非常像我的样子,在他们把我带进的新近的屈辱中,我似乎回想起当我是沃姆的时候我是怎样的,在听凭他们摆布之前。这是为了让我准备说,我毕竟就是沃姆,准备相信他甚至可以做到我在哪儿他就在哪儿。可是失败了。可是他们将顺利地找到另外一种方法,不那么幼稚的,为了让我接受,或者让我好像接受,我就是他们所称呼的那个人。或者他们将等待,指望着疲劳,越来越充分的纠缠,以便让我彻底忘掉不应该如他们给过我的那样给我这种纠缠,还不要说昨天,还不要说明天。然而我似乎回忆起来,并且我将永远不会忘记当我是他的时候,在一切变得混乱之前,我是怎么样的。但是这自然是不可能的，因为沃姆不可能知道他是怎么样的，也不可能知道他是谁，正因为如此他们希望我思考。而且我还觉得，只要人们让我清静些，我能重新变成他，这更让人遗憾。这种转让的确很棒。我琢磨这会不会把我们带到什么地方。如果他们在干脆地停止之前，为了什么都不说能够停止说话就好了。什么都不说？说的比唱的还好听。这不该由我来判断。我靠什么判断呢？这又是挑衅。他们希望我失去耐心，突然忍不住了急着向他们求援。这一切怎么一眼就看出来了。有时我想，他们对我说，沃姆对我说，主语没什么大不了，说我的供应者是好几个人，四五个人。然而彼此不和谐，不交叠。倒不如说是同一个脏家伙，通过改变身份、口音、口气、蠢话，开玩笑地变成了多个人。除非他真的是这样。一个生锈光秃的鱼钩，我也许会接受它。可是所有这些糖果。但也有长时间的寂静，相隔越来越远，非常非常远，在这些寂静中，再也听不见什么，我再也不说什么。也就是说认真听时我听得见窃窃私语。但这不是说给我听的，这是他们在自言自语，他们再次合谋。我听不见他们说什么，我只知道他们一直在那儿，他们没完没了，和我。他们稍稍散开了。这是奥秘。或者这只涉及一个人，是他，征求自己的意见，喃喃自语，咬着自己的胡须，调整新一轮的大荒唐。而我，一旦寂静形成，就在门外偷听！哦，他们整了我，但这是在期望一个人都不再有。但是现在不是说这话的时候。好吧。现在是说什么的时候？说沃姆，终于。好吧。作为开始，必须追溯，一直追溯到他的最初，还有，以继续为目的，耐心地，跟着他，经过各个阶段，同时注意指出通常的关联，这些阶段让我成为现在的我。一切都在一个激烈的运动中。随后一天天地记录，直到我屈服。作为结束，是代替了哀号的，伴随着受害者的舞蹈唱起的颂歌。但愿没有麻烦。马胡德，我过去不懂死亡。沃姆，我就要被生出来了吗？这是同一个问题。但毕竟，这可能不是同一个人。未来将告诉他们，未来是个好借口。但是让我们依旧追溯，然后我们将突然死去。要说的恐怕更应该是相反的事情。但是如果要说的就必须说出来的话。上游，下游，无论哪儿，我从耳朵开始，它很灵。之前是时间的黑夜。而之后，多明亮啊。不管怎样，我被固定在我的源头上，作为谈话的主题被理解，重要的只有这点。既然你能说，另一个人正在路上，一切正常。我也许还需要一千年。这没有什么关系。他在路上。我开始熟悉屋内的布局。我琢磨我能不能在一天早晨，带着早餐，从地基溜出去。不行，我不能动弹，还不能。一会儿在一个脑袋里，一会儿在一个肚子里，而一会儿尤其是我又没在任何地方，这很古怪。这可能是博塔洛氏管，当我周围的一切颤动和操劳的时候。一些诱惑，一些诱惑。我在他们中间，要是有一个朋友，悲伤地摇着头，什么也不说只是偶尔说，算了吧，算了吧，那可就好了。你大概是在开始之前，这是他们坚持认为的。那些根源应该一起出现。这些流逝的飞奔的时间，这是睡着了的那些时间，同一些时间。而他们徒劳地尖声抱怨并且某天将重归寂静，就是过去的那个同一个寂静。你会说，在过境时有一点擦伤。这是说好的，在路上的我，带着充满隐喻的话语，我还是你不能说什么的这位不可思议的祖先。但是我也许将谈论这事，谈论我是他的那几段难以参透的时间，当他们闭嘴，最终相信我将永不出生，由于没有听任我自己孕育的时候。是的，我也许将谈论这个，某一刻，就像在一个嘲弄的回波中，在重新见到他，你不会把我和他分开的那个人之前。另外他们已经虚弱了，这感觉得出来。但这就像他们习惯的做法，是一个圈套，为了让我空狂喜一场，并且在悲伤的作用下，我接受他们的术语，以便有一个不稳定的清静。但是我自己什么也不能干，这正是他们似乎经常忘掉的事。我不能狂喜我也不能悲伤,他们徒劳地对我解释了这应该是怎样的,是在什么情况下,我一点也没有听懂。什么术语?我不知道他们想干什么。我说这个,但是我不知道这个。我自己发出一些声音,我觉得越来越好。如果这对他们还不够,我也无能为力了。如果我谈论一个脑袋,关于我自己的,那是因为我听见谈论它。但是不要老说同一件事。他们希望有一天这将改变,这很正常。某天让我的气管上或者系统的任意点上,长出一个小囊肿里面带着一个概念,一个扩散的感染的起点。这可以使我像任何一个人一样狂喜,心知肚明。可我很快就不再仅仅是运输理智的有益之液的一个瘘管网络。哦,如果我块头很足,就像他们真希望相信的那样,我就不说,他们的小算盘,可能也没有这么蠢。他们说我不适应,像真正的有思想的肉躯那样,可是我毫无感觉。马胡德,我不时地,有点儿感觉,但这对他们有什么用?不,他们最好是寻求别的。我在被告知的时刻,感觉到枷锁、苍蝇、我的残肢下面的锯末,我的头顶上的篷布。但这个,这就是生命吗,一旦你转入另一个主体它就消散了?我看不出为什么不。但他们必然否定。他们太刺头,他们要求太多。他们希望我后脖子痛,生命显现无可辩驳的证据,同时听到谈论上天。

他们希望我有学问,知道我的后脖子痛,知道苍蝇叮我,也知道天一点也不可能改变。让他们不停地抽我吧,没完没了,越来越狠,与习惯有关系,我最终会显得心中有数似的。他们甚至可以不时地休息,而用不着我停止胡说八道。因为他们可能告诉过我,在开始之前,必须胡说八道,你听见了吗,否则这也证明不了什么。最后因为精疲力竭,或者因为年老而受不了了,我的喊叫缺少动力而停止了,他们可以宣布我死了,依据真实性的所有表象。而我也无须动弹去蔑视他们说的话,同时一个接一个地,像掸尘土一样,轻拍他们那些枯瘦和疲惫的老手。他不再动弹了。这会非常简单。需要天空且我不知道还有什么,光线,灯具,闪光,季度的期望,安慰的手段。让我们结束这段小插曲,以便可以心情轻松地宣布,开始下一段小插曲。响动。我有一只完美的耳朵有多长时间了?答案,直到这再也不能维持的那一刻,因为与后边的相比,太出色了。无数的声音,一直是老样子,不停地返回来,它动辄就让你长出一个脑袋,最初是一个丘疹,在变得巨大安静之前,然后是尖鼻子,当轮到眼睛的时候就更糟糕了,痛的胞膜。但是最好在这儿就不深究了。配置上没什么大不了的,既然在失去听觉之前,我能够说,这是一个噪音,它在对我说话。壮着胆子，要问一问，这是不是我自己的嗓音。要确定我没有嗓音，至于怎么确定没什么大不了的。要无声无息地经受从冷到热，从冰冷到滚开，类似的效果。这是一个开端，他出发了，他们看不见我，但他们听得见我，气喘吁吁的，一动不动的，他们不知道我是不动的。他们知道这是些词语，他们不知道这是不是我的词语，这就这样开始了，进展如此顺利谁也不会止步，某一天他将创造自己的词语，自以为孤身一人，远离所有人，超出任何嗓音能达到的范围，这将出现在他们对他说话的那天。是的，我知道这是一些词语，过去一个时期我不知道这个，就像我一直不知道这是我的词语一样。他们因此可以希望。在他们的位置上我知道我所知道的就足够了，我不要求别的事情，除了知道我所听到的，知道这对迫不得已而存在的不会说话的事物不是无害的和不可避免的，而是被迫沉默者受到惊吓的喃喃细语。我会怜悯的，我会自己了结，我不会发奋地把自己交给我的刽子手。但他们是严厉的，贪婪的，和我做马胡德的时候同样，如果不是更多。而不是降低他们的苛求！因为我还是不说什么。从耳朵接收的，这立刻就从我的嘴出来了，或者从另一只耳朵出来，这也是一种可能性。没有必要增加犯错的机会。两个洞我在中间，稍有些迟钝。或者只有一个，既进也出，词语在那里你推我搡，就像蚂蚁，急匆匆，满不在乎，什么也不带来，什么也不带走，太弱小了而无法挖洞。我不再说自己了，我永远不再说他了，这太愚蠢了。每当我听见他的时候，我将站在第三个人的角度，如果我想这样。如果这样让他们高兴。这将改变不了什么。只有我自己，我自己并不在，我所在的地方。这是其一。一些词语，他说他知道这是一些词语。但是他怎么能知道这个，他从来就没有听见过别的吗？这是合乎情理的。但是这些光线呢，呼啸着熄灭的光线？这是真的。随着这一别的东西，大量的题材至今仍不幸地禁止对它们有任何影射的许多别的东西。我们先以当事人的气息为例。他在呼吸，他只剩下了呼吸困难。胸部鼓起来，瘪下去，衰退的作用进展顺利，灾难从上到下蔓延，很快他将得到双腿，爬行的可能性。错了，他还没有呼吸，他永远不呼吸。那么这小小的响动是什么，隐约混杂着气流，让那些受此折磨的人，联想到生命呼出的气流？这是个不恰当的例子。但是这些呼啸着熄灭的光线呢？这更可说是迸发出的一阵大笑，看到他的恐惧，他的失望的场面。不管他是在光亮中，然后又突然坠入黑暗，这对他们来说应该像是一场难以抗拒的滑稽戏。但是自从他们在那儿,在周围以来,他们已经可以在隔墙上打一个洞,轮流地,把眼睛贴在上面的一个小洞。而这些光线,这或许是他们不时地凝视他的光线,以便了解他的进步。但是这个光线的问题值得单独探讨,它是那样好奇,长期的,头脑冷静,它仍将如此,一有可能,当时间不再催促的时候,当头脑平静的时候。第二十三个解决办法。结论是什么?沃姆得到的唯一的声响就是这些孔穴的声响吗,词语、打嗝、笑、吸吮,各种嘟嘟囔囔唧唧咕咕?的确。不要忘记重负之下压弯了腰的空气的呻吟。他学习,这才是最重要的。当后来风暴肆虐大地,暂时遮住观点的自由表达时,他将知道问题的关键,知道这不是世界的末日。不,他无论在哪儿都不能学习,脑袋不能运转,他知道的并不比第一天更多,他只是听,忍受,并不理解,这应该是可能的。他长出了自己的一个脑袋,从耳朵处,为了让他更好地生气,这应该是这个。脑袋在那儿,贴在耳朵上,仅仅充满了怒火,现在,这就是全部重要的事。这是一个转换器,响动在那里变成狂怒和惊恐,没有理智的援助。此刻,这就是全部需要的。你以后将负责进行旋绕,当你把他从那儿放出来的时候。在这种情况下,为什么是人类的声音?难道不更应该说是鬣狗的犬吠和锤子的敲击声吗？回答，为了让他不过于害怕，当他看见真正的嘴唇扭动的时候。他们有万能的答案，他们在他们中间。另外他们喜欢说话，他们知道对于没有被预先告知的人来说，这是讨厌的人里面最讨厌的。他们人很多，在附近，也许手拉着手，无尽头的链条，环环相扣，轮流说话。他们停滞不前，一蹿一蹿，这使得说话的声音总是来自同一侧。但是他们常常同时说话，确切地说他们所有人同时说同一件事情，然而非常整齐以至于你觉得是唯一的声音，唯一的嘴，如果你只知道唯有上帝可以无处不在，同时。你，可不是沃姆，什么也没说，再加上，什么也不知道。他们仍然是轮流地使用窥视孔，愿意的人。在一个人说的时候，另一个人看，看的人肯定是随后应该说的那个人，而他的意见，万一有的话，并不一定要与他的所见，万一有的话，没有关系，也就是说如果他看到的令他感兴趣的事情，到了让他觉得值得说的地步，哪怕是转弯抹角地说。但是从那个时候以来，他们这样做，想要什么呢？因为难以相信他们没有怀着某种希望。他们一只眼睛贴在小洞上另一只眼睛闭着，窥伺着进展的变化的本质是什么？他们不是为了一种教学的目的而做的，这毫无疑问。目前，问题不在于教给他无论什么。这种教理问答教师的语言，甜得发腻，恶毒，是他们会说的唯一的语言。让他滚开，让他试着滚开，远离这种撕破的声响，目前，这就是他们要求的全部。无论他往哪儿走，因为身处中间，他都将朝着他们走。他原来在中间，这就是最有价值的一个标记，没什么了不起的东西。他们看是为了看到他是否动弹。他只是不成形的一堆，没有能够反映一个痛苦的经历的面孔，可是多多少少蜷缩的，隐匿的面孔的安排，对专家们而言，肯定是有表现力的，并可以让他们估计出看见他马上冲出去的可能性，或者难以觉察地出发了，悄悄地溜，就像不可治愈的一个疯子。在这一堆中一只惊恐的，像马一样，总是睁着的眼睛，他们需要一只眼睛，他们根据一只眼睛来判断他。无论他往哪里走，他都将走向他们，走向他们唱起的老调，知道他正在走，或者走向将住嘴的他们，知道他正在走，为了让他认为已经顺利地完成了，同时开始走，或者走向变得更轻柔的嗓音，犹如它远去了，为了让他在这么顺利的情况下，别停下来，为了让他相信远离了他们，但是还不够远，而他却在接近他们，越来越近。不，他不能相信任何东西，不能判断任何东西，而是他所拥有的各类肌肉将需要，将试着去似乎清静的地方，当它们不再痛苦，或者当它们痛苦较轻,或者当它们受不了的时候倒下。于是噪音将再起,起初弱,但却越来越强,从他们希望他离开的那个方向,以便让他相信自己被追捕并重新上路,朝着他们。就这样他们把他一直引到隔墙,甚至引到他们挖了其他的洞的那个精确的点,从那儿伸出胳膊制服他。整个这些都是本能的。到了那儿,走不了更远了,由于障碍,并且筋疲力尽仅此而已,并且现在也不需要走得更远,因为,深深的寂静将渐渐形成,他将倒下,假定他原来是站着的,但是即使是一个爬行动物也可以倒下,在长途逃窜后,可以这么说,没有不贴切的地方。他将倒下,这将是他的头一个一席之地,他第一次体验垂直的支撑物,垂直的庇护所,肩膀抵着地面的那些支撑物。这应该算不错了,在等待自己平息下来的同时,感觉到一个支撑物,感觉到一个防御物,不再仅仅是为了它的六个面中的一个面,而是为了两个面,第一次,不再感觉暴露出的仅仅是四个面,在等待自己平息下来的同时。但是此种愉快,沃姆过去只是模糊地了解,还不及一头牲口,在重新变成像他过去的状态,或者差不多的状态之前,在他的史前史开始之前。于是他们将抓住他并带到他们那里。因为如果他们可以为眼睛挖出一个小洞,然后为胳膊挖出另一个更大的洞,他们也将能够为沃姆的通过挖出一个更大的洞,它不应该很大,从黑暗到光明。但是谈论他们为了必然地把他带到他们那,自沃姆开始行走起,就将干的事情有什么用呢,既然他不可能开始走,同时又常常有开始行走的愿望,如果谈论他的时候你可以用愿望这个词,而你不能,你不应该,可是必须像这样谈论他,必须像这样同他说话,犹如他活着,犹如他可以理解,即使这毫无用处,而且这毫无用处。但这对他是一种幸福,让他不能动弹,即使他为此痛苦,因为离开他所处的地方,寻求一点儿安宁,一点儿不久前的寂静,这会是签署他的生的判决书。但他或许哪天将离开,在最初的那点小努力,极其微弱的小努力,将仗着新生,变成一个大努力,大到可以让他从那儿离开的那天。或者他们哪天也许放了他,撒开手,堵上洞并且鱼贯地走了,去做更有成效的事。因为这事必须做出决定,天平必须倾斜,这一头或者那一头。不,人可以怪的是他们没有去他家找他,尽管他们似乎已经到了那儿。他们害怕。他住宿的环境深处不适合他们,但是他们希望他感觉到他们的力量。也许放出一条狗,任务是把他带回来。但是一条狗在那儿也活不了,一秒钟都活不了。也许使用一根长杆子,杆头有个套索。因为里面宽阔,瞧,他离他们很远，非常远以至于你不能够着他，即使用长柄的掸子也不行。这个微小的斑点，孤零零地位于深渊的中间，就是他。他现在这会儿在一个深渊里。他们将试用所有的方法。他们说看见他了，他们看见的就是这个斑点，他们说这是他。这也许是他。他们说他听到了他们，他们对此一无所知，他或许听到了他们，是的，他听见了，这是唯一确定的事情，沃姆听，又听，这不对，但是他可以去，他应该去。他们控制了他，据最新消息，为了一直到他们那里，他得准备攀登。呵！这还要变。与他相遇的那些下坡是平缓的，它们在他身下变得平坦，这不是一次相遇，这不是一个深渊，这个问题没有拖延，如果稍稍拖延的话他将栖身在一块高地上。他们为了能够信任他，再不知道说什么好，为了让自己放心，再想不出什么办法，他们什么都看不见，他们看见一片灰雾，就像纹丝不动的均匀的烟，他有可能在那儿，如果他必须在什么地方的话，他们判断他在那儿，他们在那里发出了噪音，一个接一个地，希望赶走他，听到他移动，看见他冒出来，在他们的挠钩，在他们的爪子、钩子、鱼钩的有效范围内，最终逃出，最终返回。另外对他们已经厌倦了，他们的任务结束了，不，还没有，必须防备他们，他们仍然在执勤，随他们待在那儿，转来转去，发出他们的喊声，穿过洞，他也应该有个用来喊叫的洞。他所听见的真是他们吗？为了让他听见你真的需要他们吗，需要他们和类似的傀儡吗？厌倦了让步，在几何脑袋里。他听，没什么可说的，孤身一人，一言不发，坠入烟雾中的他，这不是真正的烟雾，这没什么关系，荒谬的地狱，没有烟火，没有人迹，这也许是天堂，这也许是天堂之光，还有孤独，还有这嗓音，天神的嗓音，他们不现形地给活人和死人说情，一切都有可能。这不是地球，这才是重要的，这不可能是地球，这不可能是地球中的一个洞，由沃姆一个人居住着，或者由其他人居住着，随便你怎么说，像他那样倒着，离他不远，一声不吭，不可动摇，也没有这种嗓音哀叹，渴望，呼叫，忘记他们这些人的嗓音，这就解释了不和谐，一切都有可能。是的，活该，他知道这是一个嗓音，你不知道为什么，你什么都不知道，他对此一点都不懂，他对此只懂一点，几乎一点儿都不懂，这是可以理解的，但必须这样，这样好一些，但愿他对此懂一点，几乎一点儿都不懂，就像你总是把同样的粪便扔给它的那条狗，给出同样的命令，同样的威胁，同样的爱抚。你看他被安排好了。你将可以圆满结束。但是这只眼睛，把这只眼睛也留给他吧，为了看见，这只黑白的、恐惧的、湿润的大眼睛，为了哭泣，以便让他在去基拉尼之前，养成习惯。他怎么用眼睛，他不用眼睛，他保持眼睛睁着，眼睛一直睁着，这是一只没有眼皮的眼睛，这里不需要眼皮，这里没有任何事情发生，或者非常少，他可以错过这些冷冷清清的演出，如果他能够眨眼，如果他能够闭眼，你知道这个，他就再也睁不开眼睛了。眼泪几乎不停地冒出来，你不知道为什么，你一无所知，这是否出于愤怒，这是否出于伤心，这就是这样，或许是嗓音让他流泪，出于愤怒，或者出于某种其他的情感，或者出于不时地需要看见什么东西，可能是这样，也许他为了不看见而哭，虽然似乎难以把这种效力的主动权归于他。他变得通人情，这家伙，他将失败，如果他不睁开眼睛，如果他不注意，可是他靠什么来注意呢，他靠什么对他们正在诓骗他的这个环境形成哪怕是模糊的概念呢，他们靠耳朵、眼睛、哭泣和一切都可能在里面发生的类似脑壳的东西。这是他的本事，他的独一无二的本事，什么都不懂，不能注意，不懂他们想干什么，不知道他们在那儿，没有任何感觉，哦，可是注意，他感觉，他痛苦，响动让他痛苦，且他知道，他知道这是一个嗓音，且他懂得，少量的表达，少量的语调，而这一切是拙劣的,拙劣的,是不怎么样的,这是他们说的,他们对此一无所知,他们这样说是因为他们希望这样,也许他什么都不知道,也许他没有任何痛苦,可是这只眼睛,就更是天方夜谭了。他听见,这是真的,这也是他们说的,但必须承认这个,最好承认这个,沃姆听得见,这就是你可以确认的一切,而曾经有一段时间他听不见,他们说这是一回事,他于是变了,这是严重的,怀孕的①,到底什么地方他不能到,这没什么关系,让我们信任他。眼睛也一样,当然,这是为了赶走他,是为了让他害怕的,足以让他挣脱锁链,他们把这叫作锁链,他们希望拯救他,见他妈的鬼,该怎么理解呢,这也许是愉快的泪水。最后,让我们走到底,你应该离那儿不远了,看看他们提供给他的东西,关于吓唬人的稻草人。他们,是谁?你们别同时说,这还是一点都没有。一切都将解决,在晚上较晚的时候,将不再有人,寂静重新笼罩。在这段时间里,计较代词和吹牛的其他部分没有用。主语没什么了不起,没有主语。沃姆是单数形式,就是这么来的,他们是复数形式,以避免混淆,必须避免混淆,

---

① 文字游戏,"严重的"(grave)和"怀孕的"(gravide)两个词词形相似。

直到一切都混淆了之前。他们也许只是一个人，一个人也很需要，但他有可能和他的受害者混淆，这将是可恶的，一次真正的手淫。事情在推进，事情在推进。在景象方面，这似乎贫乏。但你怎么能知道，没有在那儿待着，没有在那儿生活，他们把这称作生活，火花在，对他们来说，它不再仅仅要迸发，不再仅仅要在上面讲道，这将以熊熊烈火而告终，包括号叫。于是他们将可以住嘴，不必害怕一个令人尴尬的寂静，就像你所说的死寂，那里出现长时间的令人尴尬的沉默，一场名副其实的拷问。毫无疑问眼睛让耳朵竖起来。响动，这旅行，穿透四壁，但是你能照这样说表象吗？一般来说，肯定不能。但是这个情况可以说相当特殊。可是这些表象，必须试着知道它们意味着什么，即使弄错了。首先是这种灰色，肯定被看作是令人消沉的。然而里面却有黄色，据说还有玫瑰色，这是一种漂亮的灰色，属于人家说的那种可以和一切都协调的类型，尿黄色的暖色的。你在这里面，眼睛作证，丝毫未见，无须注定要揭穿谎言的含糊细节。一个人会琢磨它的王国到哪里为止，他的眼睛会努力地探索黑暗，他会付出高昂的代价以求得到一块石头，一条胳膊，会拿起和放下的手指，在恰当的时候，一块石头，许多石头，或者为了能够叫喊并读着秒，等待他的叫喊返回，而他必然会痛苦，既没有嗓音也没有其他的导弹，也没有听从他的使唤，按照命令弯曲和伸直的四肢，他可能会遗憾身为一个人，在这种状况下，也就是说一个被他自己本人的过去资源支配的脑袋。但是沃姆只为妨碍他像过去一样存在的响动痛苦，细微的差别。如果这是同样的，他们也支持。如果这不是同样的，那也没有关系，他痛苦就像他一向的那样痛苦，为了什么都不妨碍的响动而痛苦，这应该是可行的。这种灰色反正不怎么应该加进来，增加他的痛苦，亮如白昼会更适合，鉴于他不能闭眼。他也不能转动眼睛，既不能垂下它，也不能抬起它，它总是保持瞄准同一块小场地，排除了眼睛调节的效用。但是光明可能终有一天会出现，渐渐地，或者快速地，或者一下子，那时你就不十分好理解沃姆如何待着，你也不十分好理解他如何离开。但是不可能的境况不可能违反规律地持久下去，这是众所周知的，或者它们消解，或者它们不顾一切地加大可能性，你要我怎么办，还不要说其他的可能性。但愿光亮如此，这并不一定就是一个灾难。或者它永远不如此，你将用不着它。但是这些光线，复数形式的，它们升起，膨胀，扑过来并呼啸着熄灭，让人想到眼镜蛇，这或许是把它们扔到天平上的合适时机,以便最终天平倾斜。不,现在还不是做这事的时候。啊。你在这里不想要希望,它会搅乱一切。其他人希望,希望他,出去到外面,在清新的空气里,在光亮下,如果这让他们高兴,或者如果他们只能这样做,或者如果他们就是为这事而被雇用的,他们应该为此付出代价,他们什么也不希望,他们只希望这将持续下去,这是一份美差,他们心不在焉,耗子人,在呼唤圣犹大,这一切都是些祈祷,他们为沃姆祈祷,他们祈祷沃姆,求他有怜悯心,怜悯他们,怜悯沃姆,他们称这个为怜悯,我们的主,必须忍受什么,幸好他对此一点儿都不懂。恶毒的黑暗,往后退,躺下,肮脏的狗。灰色。还有什么。一点宁静,一点宁静,这里还应该有别的东西,为了与这灰色协调,灰色和一切都协调。这里应该什么都有,就像在所有的世界里,全部中的一点点。据说,非常少。另外不是这个问题。谁来干蠢事,在这位水晶状的残疾人面前,这就是想象的全部。一张面孔,就像这是有希望的,如果这可以是一张面孔,间隔很长地,总是同样地,有条不紊地变换表情,刻板地显示一张真正的面孔可能是什么样的,不变成不可辨认的,从纯粹的高兴一直到大理石雕像的忧郁的凝视,中间经过了幻灭的最具特点的细微变化,就像这会令人愉快似的。插进安东尼的猪屁眼。达到合适的距离,合适的高度,我们每个月安排一次,这不会过分,慢慢地,从正面和侧面,就像是一些罪犯。他甚至可以停下来,张开嘴,心花怒放,惊奇,看,看,结结巴巴地说话,嘟嘟囔囔,号叫,呻吟并最终闭上嘴,咬牙咬到碎了的程度,或者活动的程度,为了流出白沫。这会是不错的。很不错。毕竟是一次在场。一个访问者,忠实的,有他的日子,他的钟点,从不过多停留,这会让人厌烦,也不会过短,这会不够,而是足可以有必要的时间让希望可以出生,长大,衰弱,死亡,假定五分钟的时间。他开始一路小跑地向他灌输时间观念,向沃姆,在他的吱嘎作响的脑袋里,面对永恒的图像的这个瞬间,没有任何可指责的。理所当然地拖着空间的图像,它们挽着臂膀,从一段时间以来,在某些街区里,这样更加安全。这次打赌会赢,会输,他会在我们中间,会在约会中间,你不会知道怎么样,你会说,给我瞧着这个老沃姆,他在等他的美人儿,还有这些花,你会说他睡着了,你不了解,是啊,看啊,这个老沃姆,他在等心上人,还有这些雏菊,你会说他死了。这,这也可以算是一件事情。好在这只是一个梦。因为这里没有面孔,也没有任何类似的东西，没有任何流露出生活的和替代品的喜悦的东西，必须寻找其他东西。一个简单的东西，一个盒子，一块木头，来到他面前的东西，一瞬，每一年，每两年，一个球，你不知道如何旋绕，既不围着什么东西，也不围着他，一块大石头，从他面前经过，每两年，每三年，这没有重要性，在最初的时候，不停下来，它不需要停下来，这总比什么都没有要强，他会听到它来了，他会听见它走了，这会是一件大事，他也许学习计算，分钟，小时，学习不安，理智，有耐心，失去耐心，转头，竖起耳朵，转动眼睛，一块大石头，它不会抛弃他，这总比什么都没有要强，在等待真正的心上人的时候。心跳出胸口，这是一曲华尔兹，他听见心在跳华尔兹，特拉嘣啦啦啦，再来一次，特拉嘣啦啦啦，来米来德砰砰，你无须为此生气。当然。遗憾的是必须坚信事实，坚信什么，抓住什么，当全都晕头转向的时候，除了事实，当还有事实的时候，超出心的范围，这多漂亮啊，心叫喊，事实在那儿，事实在那儿，然后更加从容地度过危险，现在，随后，就是说，在这种情况下，这里没有树木，也没有石头，或者如果有的话，事实在那儿，如果有事实的话，就像是这里没有，事实在那儿，没有植物，没有矿物，没有动物,只有沃姆,未知的统治,沃姆在那儿,或者差不多,差不多。可是别这么快,还太早,为了返回,我一无所获,得意洋洋的地方,我安静地等待的地方,最终,可以接受地,知道,相信知道,我碰不到任何事情,我将碰不到任何事情,有利的,有弊的,可能让我完蛋的,这或许还为时过早。我看见自己,我看见我的位置,没有任何东西指示它,没有任何东西使它与其他的位置有所区别,其他的位置属于我,所有的都是我的,如果我想要它们的话,我只想要我自己的,没有任何东西标明它,我几乎不在这里,我看见它,我感觉它在我附近,它搂着我,它盖着我,如果这个嗓音可以停下来,仅仅一秒钟,我会觉得很漫长,安静的一秒钟。我会听,我会知道它是不是即将重新响起,或者它是不是真正地住嘴了,我靠什么知道这个,我反正会知道这个。我会一直听,以便试图得到他们的宠爱,维持他们的厚爱,以便准备好,当他们认为适于再次纠缠我的时候,或者我不再听了的时候,我不再听了,某一天我不再听了,这可能吗,不必害怕最坏的情况,就是说,我不知道,最坏的情况能是什么,也许是女人的嗓音,我没想过这事,他们有可能雇用一个女高音。但是别再想了,我们再试试,要是我知道他们想什么就好了,他们希望我是沃姆,可我曾经是他,我曾经是他,有什么不行,我不适合做他,事情应该是这样,只能是这样,你们希望那是什么样,如果不是这样的话,我没有被带出世,到光亮里,到他们那里,以便听他们说,你看,体验你不了解的人!我忍受了,这应该是这样,不应该忍受,但是我没有任何感觉,不对,不对,这个嗓音,我忍受了它,我没有逃跑,应该逃跑,沃姆应该逃跑,但是跑到哪儿去,怎么跑,他是一动不动的,沃姆必须挪动,无论往哪儿,朝着他们,朝着蓝天,可是怎么做呢,他不能动弹,那未必是锁链,这里没有锁链,他就像扎根了,不管你怎么想这就是锁链,必须发生地震,那不是地球,你不知道那是什么,那像是马尾藻,不,那像是浓雾①,也不是,没关系,必须打个嗝,把他生出来。可是多静啊,除了讲话,没有一丝气息,这话等于什么都没说,实在是太暧昧了,生命之前的寂静,依旧,从那个时间以来,就像是烂泥,在那里是舒服的,会舒服的,没有这种响动,这是希望恢复的生活,不是,是希望他出去的生活,或者是一些破裂的小气泡,

---

① 文字游戏,"马尾藻"(sargasse)和"浓雾"(mélasse)的词尾押韵。

在周围，不是，这里没有空气，空气是为了让人窒息的，白天是为了闭眼，他应该去的正是那里，那里永远没有黑夜，但是这里也一样没有黑夜，不对，不对，这里是黑天，这种灰色是他们搞出来的，用他们的手电筒。当他们离开的时候，当他们闭嘴的时候，天就黑了，没有一丝响动，没有一丝微光，但是他们永远不走，不对，他们可能将闭嘴，他们可能将离开，某天，某个夜里，慢慢地、悲伤地、鱼贯地、投下长长的影子，走向他们的主子，他将惩罚他们，或者宽恕他们，天上，只有这个，对于那些失败的人，惩处，宽恕，两者都有，这是他们说的。你们用你们的材料做什么？我们已经把它丢掉了。但是责令说是还是不是，如果他们堵住了所有的洞，他们堵住这些洞了吗，是还是不是，他们将说是还是不是，或者一些人将说是，另一些说不是，同时说，因为他们不知道主子希望听到什么，作为回答，对他的问题。但是这两者，这两个回答都站得住脚，因为他们已经堵上了这些洞，如果你愿意的话，但是如果你不愿意，他们就没有堵住这些洞，因为出发的时候，他们不知道怎么办，他们是必须堵住这些洞还是相反，让它们敞着。于是他们固定住手电筒，在洞里面，他们的长手电筒，以避免手电筒自己关上，这就像是一些胶泥,他们带进去他们的大功率手电,点亮的,对着里边,以便让他认为他们一直在那儿,尽管寂静,或者让他认为灰色是真实的,或者为了让他继续忍受,尽管他们已经不在那儿了,因为他不仅要忍受响动,也要忍受灰色,光线,必须这样,这样好一些,或者为了他们可以回来,如果主子要求这样,他却不知道他们离开过,犹如他可以知道这个,或者没有其他的动机,只不过是不知道他们应该怎么办这一个原因,是必须堵住这些洞还是要让它们自己把自己堵上,这就像是大粪,嘿,对了,终于说出来了,贴切的词语,只需寻找就够了,只需弄错了就够了,你以找到而告终,这是一个筛选的问题。关于洞的话说得够多的了。灰色等于什么都没说,灰色的沉默并不简单就一定是要度过的合适时机,它也许合适,就像它也许不合适一样。可是没人照管的手电筒将不能总亮着,相反,它们将熄灭,渐渐地,没人给它们换电池,它们将停止,最终。于是这就将是黑天。但是黑和灰一样都是白费,黑也一样证明不了什么,至于沉寂的效力可以说是变得更加深奥难解了。因为他们可以回来,在亮光熄灭很久之后,在主子面前申辩了几年,最终没能说服他这里没有任何可做的事,对于沃姆,为了沃姆。于是一切将重新开始，这是肯定的。以至你永远不知道，沃姆永远不知道，沉默是黑的，还是灰色的，你将永远不可能知道，只要它维持着，不知道它是个好东西，或者只是要度过的一个合适的时机，如果我们可以把这称为一个合适的时机或者必须听，窥伺昔日的那些沉默的喃喃细语，感觉到已经为下一轮做好准备，冒着招致额外处罚的危险。可是一定不要把沃姆和另一个人混为一谈。尽管这无关紧要，在这种情况下。因为应该听的人将永远听下去，不管他知道，还是他不知道他再也听不见什么了。换句话说，他喜欢换一种说法，这毋庸置疑，这将争得时间，沉默一旦被打断就永远不再是完整的了。那就没有希望了吗？当然不是，啊，真是馊主意。不对，也许吧，一点点希望，但是它永远不起作用。可是你忘了。或者如果这是一个人，他孤身离开，去他的主子那里，而他的长长的影子将跟随他穿过沙漠，这是沙漠，第一条消息，沃姆某一天，将出生在沙漠里，看到沙漠的那一片天，他们将抓住他的那一片天，在任何其他地方也一样，他们说不，他们说这话的时候更规范，更清晰，你们在谈论一件事，哦，那并不一定就非得是撒哈拉，还有其他的沙漠，重要的是臭氧，他将需要臭氧，在早期，是的，在晚期也同样，这东西灭菌。主子。他们会是一个未知的数目,而你们会需要这个未知数再加一个的数目。可是这只青灰色的眼睛呢,对他有什么用处,最终?要看到光,他们把这称作看到,很好,既然他对此感到痛苦,他们把这称作痛苦,他们知道痛苦是什么,他们懂得制造痛苦,人家告诉过他们,主子告诉过他们,你们要做这个,你们要做那个,你们将看到他扭来扭去,你们将听到他哭泣。他哭泣,这是一个现象,哦,不太可靠,一定要抓紧利用。可是这些扭动,落空了。但是必须说一件事情,那只是一个开始,尽管那已经持续了很长时间,他们将不会灰心,长于非常不苟言笑的有分量的话语,他们永远都不会沉默不语。这是他们的工作,这是他们的权限,这对他们有什么好处,无论是否有个结果?说他们说得够多了,他们只说他们自己,这是不得已,一切都属于他们,没有他们就没有了一切,甚至也没有沃姆,这是他们的一个观点,他们的一句名言,在谈论他们自己的时候,他们说得够多了。但是这种灰色,这种光亮,他是否能够躲开这种光亮,它令他痛苦,难道不是很明显么,他无论从哪一侧走,每前进一步都更加痛苦,因为他在中间,也不得不回来,回到中间,在四五十次无效的企图之后?不,这并不明显。因为很明显光亮随着他朝着光亮迈出的每一步而减弱，他们留意着这事，为的是让自己相信道路正确，进展顺利，他会一直到达内部。那将是赞美，捕获，凯歌。从他痛苦的时候起就有希望，即使他们为了让他痛苦，不需要希望。但是他们怎么知道他痛苦？他们看见他了吗？他们说看见了。但这是不可能的。他们听见他了吗？肯定没有。他没有发出声响。但也许发出了，在哭的同时。不管他怎样，他们是平静的，不管是与否，他痛苦，并且全靠他们。哦，还不够，但是一定要慢慢来。一次严厉过度，在此阶段，就可能让他永久地失去智力。还有一件事。问题是微妙的。习惯的效力，为其所用了吗？他们可以克服这种效力，通过提高声音，增强亮度。可是如果，不但没有减轻痛苦，随着时间的流逝，他的痛苦的程度保持一致，更准确地说，和第一天一样呢？这应该是可能的。可是如果，和第一天相比，不但没有减轻痛苦，或者保持一致的痛苦，他反而更痛苦，随着时间的推移，越来越厉害，随着迁移的实现，从没有变化的未来到不可能变化的过去呢？还有一件事，但是想法相似。事情是棘手的。一种平静的痛苦，难道不比波动不时地让人相信不管怎样痛苦可能不会永远持续下去的那种痛苦更可取吗？这将取决于追寻的目标。怎么讲？一个不耐心的小动作,患者方面的①。谢谢。这是近期目标。然后将有其他的。在你教给他保持平静之后。至少目前是这样,他在地上打滚,嗨,因为无论怎么样,没有其他的药物来打破单调。当他们,这些急不可耐的烧伤病人没有被绑着的时候,他们放开手脚,上帝啊,没有条理地噼噼啪啪地四散而逃,寻求一点点凉爽。有些人甚至到了冷静地破窗而出的地步。你没有要求他也这样。希望他独自发现自己面前的那些逃跑地穴,仅此而已,他将走不远,他将无须走远。希望他不再只靠自己的力量缓解他的状况,不是徒劳地待在这里。希望他像轻骑兵那样做,登上一把椅子以便更好地调整他的长毛高顶军帽的羽毛,这是再简单不过的事情。他无须理智,只需要痛苦,总是以同样的方式,从来不少,从来不多,别指望休战,别指望死亡,这并不更复杂。无须推理,以便不期望。走向单调,这更刺激。但是怎么让他放心。没什么大不了的,没什么大不了的,他们尽力而为,用他们那些可怜的手段,一个嗓音,一点光亮,这些可怜的人,这是他们的工作,他们说,他不习惯,他不动摇,我

---

① 文字游戏,"患者"和"耐心的"在词形上一样,都是"patient"。

们对此一无所知，这没什么关系，这是一个中上水平，我们只需继续下去，他最终会理解，他最终会战栗，将出现小小的反应，眼睛里的一个变化，高潮将产生，这将把他抛回到我们中间。寻找从来没有找到的眼睛，窥伺从没有出现的抱怨，这也不怎么算是一种生活。然而这就是他们的生活。他在那儿，主子说，在某个地方，照我说的去做，把他给我带来，他有辱我的荣耀。但是还有最后一次努力，还有一次，这也许将是最后一次，每一次都必须像对待最后一次那样做，这是不后退的唯一的方法。一大口恶臭的空气，然后加油前进，接着再来。前进。这说起来容易。但是哪儿是前方？这样做有什么用？一群假躁狂症患者，得啦，他们知道我对此一无所知，知道我渐渐地忘掉一切。这些短暂的休息，并不太坏。当他们闭嘴的时候，我也就闭嘴了。落后一秒钟。我落后他们一秒钟，我抓住这一秒钟，足足的一秒钟，复得一秒钟的时间，就像这一秒钟曾经被给了我一样，同时接收随后的一秒钟，同样也不需要的一秒钟。没有一个瞬间属于我，而他们希望我知道做什么。啊，我很清楚我做什么，如果脑袋听我的话。让他们指责我正在做的事情吧，就当他们从来没有说过，如果他们希望我看起来没闲着。这声调，这措辞，为了让我相信他们是由我自己编造出来的。总是同样的那些手段，自打他们记住我的存在只是时间问题之后。我认为我有些分心，漏掉了几个整句子，不，不是整个的句子。我也许错过了故事的内情。我原本没有理解内情，可是我原本说了内情，你没有进一步问我，在下一次评价我的时候，这会被算在我的账上，你看，他们不时地评价我，这是一些严肃的人。我知道，我哪天也许说出我曾费力做过的事情。我们到底有多少人？现在说话的是谁？在对谁说？在说什么？这些让人厌倦的事情毫无用处。但愿他们最终告诉我有什么值得赎罪的，值得遭受入地狱的惩处，但愿人们不再谈论这些事，但愿人们不再说话。可这就是我的刑罚，他们依据我的刑罚来评价我，我艰难地服刑，就像一只猪，一声不吭，不理解，一声不吭，除了他们的话外不使用其他的话。这将是单人囚室，这是单人囚室，这曾一直是单人囚室，我听到了一切，他们说的一切，这是唯一的响动，犹如我自己，独自一人，高声地在说话，你以再也不知道什么而告终，一个永远不停止的嗓音，从那儿传来的。这里可能还有其他人，和我在一起，这里是昏暗的，理所当然，这不一定就是一些特殊的地牢，或者另一个人，我也许有一个难友，他喜欢说话，或者他应该说话，就像这样，徒劳地，面对自己，不停歇，但是我不信，我不信什么，不信我有一个难友，就是这样，这会让我吃惊，他的憎恶竟到了那种程度，他们说这会让我吃惊。我应该不时地打个盹，睁着眼睛。不过一切继续，我没有出发，我没有返回。这算不算是失眠症，半失眠症？可是没有任何改变，从来没有。就是说你忘了。一些洞，过去一直就有这些洞，是停止了的嗓音，是不再出现的嗓音，这能干什么呢，这也许重要，结果是一样的，但是也许别指望，特殊的。哦，解除。他们把我关进这里，现在他们试图让我出去，为了把我关到别的地方，或者为了释放我，他们有能力把我放到外面去，为了看到我做什么。靠着栅栏，双臂交叉，双腿交叉，他们看着我。或者他们所做的只是发现我待在这里，在他们到达的时候，或者很久以后。他们感兴趣的不是我，而是这地方，他们想要这地方，为了他们中的一个人。有什么办法，必须思索，思索，一直到你碰上了正确的思索。当一切闭嘴，当一切停止，因为这些词语将被说出来，必须要说的这些词语，你无须知道是哪些，你不可能知道是哪些，它们就在那儿的某个地方，在一堆中，在一群中，不一定就是最后的那些，它们必须是由有此权力的人担保的，这需要时间，他在远方，有权力的人，这是主子，你把笔录给他带去，所有这些，他知道有价值的那些词语，是他选择了那些词语，在此期间嗓音在继续，在你去他那儿的时候，在他寻找的时候，在你们回到我们这儿的时候，带着判决，词语在继续，坏的那些，错误的那些，直到命令下达，将一切停止，或者让一切继续，不，没用，一切都将独自继续，直到命令下达，将一切停止。它们或许在那里面，某个地方，在他们刚刚说的话里面，必须说出的那些词语，它们未必很多。他们说他们，在谈论他们的同时，为了让我相信是我自己在讲话。或者是我在说他们，在谈论我不知道谁的同时，这是为了让我相信这不是我自己在讲话。或者宁可说是这沉默从信使出发起，直到他返回，带着主子的命令，即，继续。因为有长时间的沉默，相隔很久，真正的休战，在休战中我听到他们在窃窃私语，也许是窃窃私语的那一部分人。结束了，这一次我们已经准确击中，另一部分人，一切都要重新开始，在别的措辞中，或者在不一样布置的同一些措辞中。于是所有人都休息了，如果可以把这称为一次休息的话，人们在休息中等待，等着知道他们的命运，一边说，也许不是这个，一边说，我嘴里说出的词语是从哪里来的，它们是什么意思，不，一边什么也没有说，因为词语不再出现，如果你可以把这称作一次等待的话，在等待中没有道理，在等待中你听，它闭嘴了，没有理由，就像从一开始以来一样，因为有一天你已经开始听，因为你再也不能停下来，这不是一种常情，如果你可以把这称作一次休息。但是不能死，不能活，不能出生的故事是什么，这应该起到一个作用，这个留在你所在之处的故事，处在垂死的、活跃的、出生的状态，不能前进，也不能后退，不知道你从哪来，你在哪儿，你要去哪儿，并且有可能在别处，处于不一样的状态，什么都不推测，什么都不琢磨，你不能，你在那儿，你不知道是谁，你不知道在哪儿，事物停留在那儿，在它本身，在它周围，似乎，似乎，毫无变化。必须等待终结，必须终结到来，而终结之后这将是，终结之后最终将可能与之前是同样的事物，长时间里必须朝着这个同样的事物走去，或者远离它，或者颤抖地，或者愉快地等待，内行的，顺从的，已经厌倦了做，已经厌倦了同样的事物，这是同样的事物，对于什么都不会做，什么都不是的人来说。如果这噪音能够停止，它与什么都不合辙，它阻止了什么都不是，无论什么地方，不足以阻止什么都不是，恰恰，恰恰足以让这小小的黄色火焰持续，它气喘吁吁，就像试图脱离它的火芯似的扑向四周,古怪的小火焰,不必点燃它,否则必须维持它,否则必须熄灭它,必须熄灭它,必须任它自己熄灭。这些遗憾,它推动你,它让你更接近世界的末日,现在的这些遗憾,过去的这些遗憾,并不是同一些,不对,是同一些,你不知道,你不知道发生的是什么,发生过什么,那也许是同一些,同一些遗憾,这把你载向遗憾的末日。但是加把劲,正是时候,鼓鼓劲,这将没有任何结果,一步也没有前进,这没什么关系,我们不是小市民,可谁也不知道,不是吗。马胡德也许将走出他的瓮罐并朝着皮加勒①的方向,趴着,唱着歌,我来了,我来了,我的心上人。或者沃姆,这个老好人沃姆,他也许将再也受不了了,什么都不能做,再也受不了了,不该忘掉这点。我要是他们,我将给他放出耗子,水耗子,垃圾耗子,这是最棒的耗子,哦,不太多,一打,十五只,这或许让他下定决心,起飞,这是哪个入门,决定他今后的性格。不,这会是徒劳的,一只耗子在这里活不了,一秒钟也活不了。但是让我们再看看这只眼睛,这正是必须研究的地方。也许有一点粉红,白色,因为不断撒尿,这是一点闪

---

① 皮加勒是巴黎的一个街区。

现,我不敢说是聪明的闪现。除此之外仍是老样子。也许略为突起,更为嵌顿包茎地呈球状突起。他像是在听。他耗尽经历,这是必然的,他失去了光泽,必须尽快给他提供直接从他的眼眶出来的什么东西,十年后就太晚了。他们的过错,是谈论沃姆就像他真的存在一样,在一个确定的地点,而这一切还只是处在计划状态。但现在回到这个问题上是太晚了。先让他们撞上南墙,然后他们将可以重新考虑问题,同时避免因为使用未经思考的措辞而犯错误,甚至是,容易受到智力的影响的概念。同样马胡德的情况也没有被充分地研究过。你能够感受到这类人的需求,承认他们是两个人,甚至预感到可能性,不在盲目和郁闷的谈话中谈论他们的主题。多一点思考就可以对他们指明,说话的时间远没有来临,兴许永远也不会来临。但是他们不得不说话,他禁止他们停下来。他们为什么不谈别的事情,谈从某些方面说存在是立得住脚的事情,对这种事你可以不脸红地喋喋不休地说出类似措辞需要使用的所有三万个或者四万个词汇,且这种事最终,是超级保险的,是在所有时期都已经骗取过长舌头者的,这要强得多。这是老故事,他们希望消遣,同时也在执行任务,不,不是消遣,是缓解,也不是,是自我安慰,还要弱一些，没关系，以至他们哪个都不干，既不干他们希望的，不知道是什么的事情，也不干他们不得不干的卑贱的苦差事，老故事。简直就不像刚才说过的那些人，不是吗？我又能怎么办，他们也同样不知道自己是谁，他们在哪儿，他们在干什么，也不知道这事为什么进行得这么不顺利，非常令人厌恶地不顺利，那应该就是这样。于是他们拼凑一些相互矛盾的推测，毕竟是人啊，一只龙虾不可能这样。我们漂亮，我们大家，我们同处困境，不对，是死于同样的思想，我们每个人以其独特的方式而漂亮。我本人，我曾经被可耻地定了论，他们应该开始意识到这事，我自己源自完全取决于懦夫的人，更好的是，围绕着谁，好得多的是，围绕着谁，罐子人，一切都在旋转，白白地空转悠，是的，你别反对，一切都在旋转，这是一个脑袋，我在一个脑袋里，何等的灵感啊，喂，立即就被浇湿了。啊，这个盲目的嗓音，所有人都在狂热地听的这些屏住呼吸的瞬间，还有断断续续重新响起的嗓音，不知道它在寻找什么，还有又一次无限的沉默，戒备着你不知道是什么的东西，生命的一个征兆，应该就是这个，逃避某个人的生命的征兆，如果出现你会否认的那个生命的征兆，肯定是这个，如果这一切能够结束，那将是清静，不，你不会相信这个，你仍在潜伏着，窥伺又一次的嗓音，某个人泄漏出来的生命的征兆，或者别的东西，无论什么，生命征兆之外可能有的别的什么东西，一枚掉下去的别针，一片摇动的叶子，或者当大镰刀把它们一刀两断时青蛙发出的低鸣，或者你用长矛，在水里抓住它们时的低鸣，你可以添加各种例子，这甚至是一个出色的想法，但就这样了，你不能。或者必须是瞎子，瞎子的耳朵更灵，缺少的不是情报，我们的队伍里有钢琴调音师，他们给出 A 音，两分钟后，听见了 G 音，你无论如何什么也看不见，这只眼睛是个差错。但说话的不是沃姆。这是真的，直到现在，谁说不是呢，或许是预先定好的。我自己也不是，如果你从那儿开始。可马胡德显然是失音的。目前，问题不在那儿，人们不知道问题在哪儿，但是，当前它不在那儿。是的，这是供消遣用的，一只眼睛，它动不动就哭，是也哭，不是也哭，特别是这些个似是而非的可能性，在令人愕然的判决的理由一直没有得到应有的重视结果里的这些个可能。马胡德也一样，我想起了沃姆，沃姆也一样，不，马胡德也是一个动不动就哭的鼻涕虫，你也许忽略了指出这件事。他的大胡子完全是湿的，这是彻头彻尾的蠢货，再加上这并没有让他哪怕稍微安静一点点，这又怎么能让他安静呢，他冷冰冰的，像块樟脑，可怜的人，甚至不能诅咒他的造物，这是机械的。但是必须忘掉马胡德，你本来就不应该谈他。肯定。但是有可能忘掉他吗？的确人家什么都忘。可是他太害怕马胡德永远不听任自己消除，彻底地。沃姆是这样，他完全消失了，就像他从来没有存在，另外这也的确是实情，犹如你，在没有预先告知的情况下可以消失。说起来容易。但是马胡德也同样不。这不清楚，嗤嗤，这完全不清楚。这没有关系，马胡德将留在那儿，留在你曾把他放在的那里，全身陷在他的罐子里，面对屠宰场，恳求路人，既不说话，也没有手势更没有面部表情，面部不是表演者，让人坦率地理解他，和当天的特色菜一起，或者分开，你不知道为什么，为了能够相信自己身陷其中，也就是说在排泄方面大有希望，早早晚晚，那应该是这样，你可以有相似的想法，不假思索。我本人有动不动就流出来的眼泪，我不愿提这事，我要是他们我会略去这个细节，事实上我没有任何摆脱的方法，但是这个任何，并不比不那么高贵的人的任何更多，在这种情况下，你怎么能好自为之，应该相信什么，这与什么都不相信没关系，这与预见准确有关，仅此而已，他们说，如果不是黑的那就肯定是白的，你要承认这是粗俗的，作为方法，鉴于所有的过渡色调，各种颜色都应该有机会。而他们损失的时间，重复做同样的事情，那么他们应该知道这不是好事。很容易被驳倒的非难，如果他们愿意给自己找麻烦，如果他们有时间，思考这些非难中的那些无聊玩意儿的时间。可是思考和同时说话的方法，思考人说过的，说的，能够说的，同时说的，你思考无论什么，你说无论什么，多多少少，多多少少，你形成了没有根据的指责，没有能够回答，这立马就是另一回事了，正因为如此他们才总是重复同样的事情，同样的话，他们熟知的老一套，这是为了试图在这段时间里，思考别的事情，通过说别的事情来说总在说的同样的事情，总是令人不舒服的，总是同样的坏事情，他们找不到，他们找不到妨碍他们找出来的其他要说的事，他们最好是思考他们正在讲述的东西，以便至少变化一下表达，重要的是表达，而思考和同时说话的方法，是特殊的，就像是才能，飘忽不定的思想，话语也同样，相隔很远，总之，一点不夸张，各执一边，彩陶的鼴鼠，所处的位置一定要是中间，你忍受痛苦的中间，你狂喜的中间，没有话语，没有思想的存在，你毫无感觉的中间，什么也听不见，什么也不知道，什么也不说，什么也不是，这正是造就高尚存在的地方,在你所在之地。幸亏他们在那儿,那儿的意思当然是无论是哪儿,为了承担事物的这种状态的责任,如果你对此了解不多你至少知道这一点,你不会喜欢因为这种责任而良心不安,不会喜欢因为这种责任而给足够饱的胃再增加负担。是的,幸亏我有了他们,这些爱说话的幽灵,我不会永远有它们,我感觉到这点,可恶的幽灵,他们最终将让我相信我曾经机灵过。主子无论怎样,我们不干了,他们这是火上浇油,我们不干了,除了在绝对必要的情况下,犯下了我们承担的任务的错误,他看起来像是普通的高官,在这场竞争中你最终会需要上帝的,你徒然是一个整日奔忙不得温饱的人,你最好避免一些卑鄙的行为。让我们继续做一家人,这更亲密,大家相互熟悉,没有令人担忧的意外,你已经看过遗嘱,和任何人都不相干。这只眼睛,奇怪得就像是这只眼睛呼唤着,恳求你照顾它,求你为它做点什么,求你帮助它,你不确切是什么,帮它不再哭泣,帮助它看,表现出激情,闭上。在这张脸上,你只看到了它,你要从它开始寻找一张面孔,什么都没找到后还回到它那儿,没有任何有价值的,只有像是一些灰迹的东西,这也许是浅灰色的长发,垂过嘴,沾着老泪,或者做罩布用的一件旧外衣的流苏,或者是张开努力攥紧着让一切都不可辨认的手指,或者是这一切组合在一起,手指,头发,破布,混在一起,择不开。各方的假设同样荒唐,为了希望什么也没说过只需一一列出这些就足矣,你知道这是怎么回事,另一个过去,那经常是所希望的,与自己的过去不同的另一个过去,当你得知他的时候。他秃顶,他赤裸,而他的双手,一劳永逸地平放在双膝上,没有任何卑鄙行为的风险。在这种情况下,脸在哪儿?这可真荒谬,我也一样不相信眼睛,这里什么也没有,没有任何要看见的,没有任何人看见,这正好,当你想到这儿的时候,想到这会是什么,一个没有看热闹的人的世界,和相反的什么,哎呀。于是没有观众,甚至也没有演出,至少这就已经是了。如果这一响动能够停止,就再也没有要说的了。我琢磨此时话语传播的是什么。看来传播的是沃姆。马胡德被抛弃了。我本人在等着轮到我。是的,我不绝望,一切就绪,哪一天,把他们的注意力吸引到我的情况上。并不是它表现出最少的价值,看,它里面应该有错,并不是因为它特别有趣,这毫无疑问,我保证,而是因为这是轮到我了,我自己同样有权力被认为是不可能的,我觉得。这权力将永不终结,没有必要抱着幻想,不对,不对,他们将看到,我之后就将终结,他们将放弃,他们将说。整个这些并不存在,你给我们讲故事,你给他讲故事,他是谁,主子,你是谁,你不知道,永恒的第三方,他是这些东西的状态的负责人,主子对此毫无作用,他们也同样,我本人的作用比任何人都更小,我们错误地相互利用,主子利用我,他们,他自己,他们利用我,利用主子,利用自己,我利用他们,主子,我自己,我们都是天真的,相当天真。怎么天真啦,没有人确切知道,希望知道,希望能够,有关这响动的一切,围绕着无意义的事物,为了无意义的事物,有关对每个人沉浸其中的沉默的长期的不敬,你不再寻求了解这沉默,天真包含着什么,你迷失其中的天真,它包罗万象,所有的错误,包括错误的问题,它终止了问题。于是它将结束,多亏了我,它将结束,他们将离开,一个接一个,或者他们将倒下,他们任自己倒下,倒在他们所在的地方,他们不再动弹,多亏了我,我原本什么也不懂,不懂他们曾经认为应该说的一切,什么也不能干,不能干他们曾经认为希望我所干的一切,而沉默将重新降临到我们所有的人,将着陆,就像在屠杀之后,沙土撒在角斗场上。无以复加的迷人前景,他们开始按照我的建议排队,总之我或者是一个有勇气的人,他们让我说话,如果只是这个，如果只是那个，我说了这话，但是想这话的是他们，不，他们也一样不想这话。我自己这里极为有幸地不能希望或者惋惜无论什么。其实似乎难以有某个人，如果我胆敢称呼我为某个人的话，能够憧憬这样一种状态，尽管对它的热情描述已经被慷慨地献给了他，他也不具有哪怕一点点的这种状态的概念，或者他也很难真正地渴望另一种状态的终止，这是唯一一个从来没有形成的状态，这一点也是同样不可理解的。他们嘴里始终保持的这种沉默，它出自哪儿，它就转回到哪儿，它的节目演完了，它不知道这是什么，也不知道被认为是它干的事情是什么，为了配得上他。这就是优等生，当事情不顺利的时候你总是求助这样的人来援救，他总是在谈论荣誉和形势，他不止一次地救过场，还有痛苦，他懂得重新鼓起勇气，阻止拉稀，只有这句粗话起到了决定性作用，即使补充，一旦完全恢复了秩序，什么样的痛苦啊，既然他总是受苦，这又是一瓢冷水。但是他快速地赶上来，他再次安置好一切，通过引入种种著名的概念，数量的，适应的，磨损的，他接受了，这可以让他，在后面的打嗝中，在万一他被抓住的时候把它们不适当地宣布出来，因为他不知道发疯是怎么回事。可是，请参照前文，他们不是已经朝我俯下身体，朝着我，抱怨着脖子痛、腰痛吗，我说过，他们从来没有做过其他的事情，自从，尤其是没有明确的时间，而另一个问题，我刚刚在马胡德的和沃姆的故事里所做的，或者倒不如说他们刚刚在我的故事里所做的，这里头可是有大量的事情要做，千头万绪，别泡在这里。我知道，我知道，注意，这一次是场豪赌，这一切是独一无二的，哪怕吹牛说，完美无瑕，甚至是永远的，即，可是看吧，我亲爱的，这就是，这就是你，看看这张照片，还有这张卡片，没有定罪，我向你保证，努力吧，在你这样的年龄，没有身份的生命，这是一种耻辱，我向你保证，看看这张照片，怎么，你什么也没有看见，这是真的，这没关系，瞧，看看我这个萎靡不振的脑袋，你将看到，你会好的，这用不了多长时间，瞧，这是卷宗，侮辱警察，有伤风化，侮辱警服，侮辱法官，侮辱上级，侮辱下级，有悖常理，没有粗暴行为，瞧，没有粗暴行为，这没什么关系，你会好的，你将看到，你说，如果他工作，可是你看，不可能，瞧，这是健康报告，痉挛性脊髓痨，无痛的树胶样肿，我说的没错，无痛的，全部不痛，多种软化症，多种硬化，敲击无感觉，视力减退，消化不良，需要注意饮食，排泄物，听觉降低，心率异常，情绪稳定，嗅觉降低，从来没有勃起，我能怎么样，编入辅助工作人员，不能动手术，不可搬运，瞧，这是开头，不，不，在另一头，我向你保证，这是一个机会，他喜欢，如果他喝水，可是你看，这是他的爱好，你说，父亲和母亲，两个人都死了，间隔七个月，他是在受孕的时候死的，她是在生产的时候死的，我向你保证，你找不到更美的事了，在你这种年龄，保持无形，多可怜，瞧，这是照片，你将看到，你会好的，这是什么，在这样的条件下，一段时光要度过，在地球上，然后是清静，在这下面，这是你从那儿出来的唯一方法，相信我，你说什么，我是不是就再没有别的了，可是当然，当然，等一下，我也是，我想过，等一下，在这儿，那个，可首先我想，怎么，你不明白，我嘛，也一样，这没什么关系，现在不是开玩笑的时候，是的，刚才我对了，这一次的确是你对了，瞧，这是照片，看那上面的我，他早就受不了了，你必须赶快，这是个机会，唠唠叨叨，直到我屈从诱惑，不，这不是真的，他们对此很清楚，我不懂，我没有动弹过，我现在很好，我将来很好，当他们将来离开的时候，我没动弹过，我所说的这一切，说的是已经做过，已经经历过的，是他们自己说的，我自己什么也没说过，我没有出去过，他们不懂，我不能出去，他们以为我不愿意出去，以为他们的环境对我不合适，以为他们最终会撞上我中意的，那样我就会出去了，他们已经间接地，得到我，我就是这样看到东西的，不，我什么也看不见，他们不懂，我不能去找他们，他们必须来找我，如果他们希望得到我，让我出去的并不是马胡德，也不是沃姆，他们很看重沃姆，以便把我吸引到外面，他并不是像其他人自称的那样，这是可能的，对我来说都一样，他们不懂，我不能动弹，我在这里很好，我将很好，如果他们愿意放过我，让他们来找我，如果他们想得到我，他们将什么也找不到，他们将能够心安理得地离开。或者如果是一个人，就像我一样，他将可以离开，不担心内疚，丢掉性命去做不可能做的事，甚至更进一步，或者留下来和我在一起，他可能会出现这种情况，这将造就一个与我相同的人，这会是一件了不起的事情，第一个与我相同的人，这是划时代的，知道一个与我相同的人，不，我什么也不会知道，这没关系，这仍是了不起的事情，一个与我相同的人，一个同类，他本来无须与我相同，或者与我相同，不得不这样做，他或许只能顺其自然，他可能认为他想要的一切，在此刻，他再也受不了了，或者他喜欢这个地方，他甚至能够喊叫，我再也不往前走了,已经习惯了宣布他的决定,高声地,以便更好地了解这些决定,他甚至可以添上一句,以备不时之需,目前,这会是他的最后一件蠢事,本来只需听之任之就够了,他会消失,他也一样会什么都不知道,我们在那儿会有两个人,各自有各自的隐情,相互之间的隐情,这是我刚刚做的一个美梦,一个出色的梦。可是它还没完。因为这不是又来了另一个人,支持他的同事,让他出去,回到他那里,他们自己那里,借助种种威胁,允诺,摇篮的故事,铁环,童男,公猪,血与水,皮肤与骨头,坟墓①,这类的故事,让他的同事出去,就像这个同事是我自己,是这样,是这样,小黑家伙的,他结束了,他的生命结束了,不,之前,可你已经懂了,我们现在三个人了,这更加默契,且这还没完,这是一个没完的梦,它只涉及睡觉,而且还有,这就像是歌里唱的②,一条狗跑到厨房,叼走了一根香肠,我不知道在什么上面也不知道用的什么,厨师打得它灵魂出窍,第二段,别的狗见了很悲伤,赶紧,赶紧挖坟把它埋葬,白木十字架底下,

---

① 文字游戏,"摇篮"(berceau)、"铁环"(cerceau)、"童男"(pucceau)、"公猪"(pourceau)、"水"(eau)、"皮肤"(peau)、"坟墓"(tombeau)这几个词都带有"-eau"这一词尾。

② 这首歌谣在《等待戈多》第二幕就由主人公唱过。

过路人能够读到，第三段，同第一段，第四段，同第二段，第五段，同第三段，如果你还不够，随意，随意，我们这是第一百段，一千段，这里有地方，随便加，随便加，活疯子，你会好的，你将看到，你们永远不会出生，我说的，你们再也不会被生出来，把你们的小孩子带来，我们的酷刑对他们将是舒适的，在你对他们做了这些事情之后。但事实上，我们难道不是已经人很多了吗，一群人，我以什么名义为自己是第一人而自豪呢，确切说我难道不是最后一人吗，听到自己就在时间之中，这就是问题，只要他们别无所顾忌地回答。另外他们正在悄悄酝酿的能是什么主意，在这么晚的时候？他们是不是最终决定干脆与我交锋，从正面？有可能。在这种情况下开场在即了。瞧，瞧，我曾和他们一样，在我成为现在的我之前，见鬼，这就是我不能立即摆脱的一件麻烦事，很好，很好，攻击已成定局，站起来死鬼，精子面对绞架。我也一样，已经厌倦了为一个不可理解的诉讼辩护，给你个两毛三毛的就有一千个大话的结果，我任自己倒下，在抗传的被告当中，漂亮的图画，撞击空间，这应该是龚古尔奖，他们试图在远处，催眠我，他们害怕我会反抗，他们希望捉活的，以便能够杀死我，就像我还活着，他们认为我活着，这会觉得像是发掘,如果有一具尸体,那也不在一个肚子里,她还没有被解决,婊子将对我肆无忌惮,这样他尤其应该缩小寻找的范围,死去的一个精子,因为冷,在被窝里,无力地晃动着它的小尾巴,我也许就是一个干了的精子,在一个孩子的被窝里,这太长了,必须全部考虑到,不应该害怕说蠢话,怎么能知道这就是蠢话,在话未出口之前,而这就是一句,现在已经收不回来了,因为正当的理由,它也是一个蠢货,或者即将成为蠢货,除非它避开了他们,你想想,数学尖子们在那儿,而这被看作,是生命,是屠杀,这是肯定的,承认它,有些人运气好,生自一个淫荡的梦,因为处理方式最得当,在拂晓前死去,看,这完全是愉快的,不,它没有屈尊,接受我的蠢货,这是相互的,又一个漂亮的闪现。又是马胡德那边的一轮,沃姆那边的,这是我们最后的机会,但最终他们脑袋里有什么,什么都不再有了,从来就什么都没有,要从这些故事汲取的,我有我自己的故事,他们对我说的,他们将看到从这里也不再有任何可以汲取的了,这将结束,这个装故事的巢穴,据说是我痛骂他们,总是以同样的方式,哦,这些可怜的家伙,我也许以痛骂他们而结束,他们将明白作为对话的主题的滋味,我把人家连一只狗都不会给的谈话资料给了他们,一只耳朵,一张嘴,若干智力的碎片夹在中间,我将报复,几摊智力的粪便,他们将看到这是什么,我将把他们的一只眼睛扔进人群中的什么地方,就这样,约莫,免得它可能走入迷途前边的什么东西,我坐在上面并给他们排泄一些故事,照片,文件,地点,光线,众神,邻人,日常的全部生活,高声抗议,出生吧,亲爱的朋友,出生吧,把我塞进屁股里,你们将看到蜷在里面好不好,这将用不了太长时间,我在拉肚子。他们将看到这是什么,这并不普通,这是一种特别的嗜好,这并非适合所有人,必须活着出生,这不是一件天生就会的事情,这或许将教会他们,让我清静。是的,可是你看,我将不能这样,我将再也不能这样,我过去也许能,从前,在我竭尽全力的那段时光,遵照我接到的指令,让亲爱的人改邪归正,人家曾对我说他是亲爱的,他对我来说是亲爱的,而我对他来说是亲爱的,说我们相互是亲爱的,我终生都在对他吹牛,对亲爱的死人,同时琢磨靠什么他能长成什么模样,在什么地方我们可能相遇,终生,反正差不多,没有差不多,终生,在与他重见之前,我是他们的亲爱的,他们是我的亲爱的,在幸福的时刻,他将与我们重逢,一个接着一个,遗憾的是他们是不可数的，一群，这里是一样的，叛徒的珍贵的藏骸所，它永远填不满，毫无疑问今夜全都是珍贵的，这没什么关系，其他的人什么也没听见，倒霉的是最后一个人，属于我的死去的人，在那儿在我身边，对他来说是结束了，在虚空的旁边，在我下面，我们被摞起来，不，这也行不通，这没什么关系，这是个细节，对他来说是结束了，他是倒数第二个，对我来说这也将结束，我自己是最后一个，我将什么也听不见了，我没有任何可做的事，只有等待，这很长，他将躺在我上面，在我身边，我的忠诚的刽子手，轮到他忍受他曾给我造成的这些痛苦了，轮到了清静。就像一切安排好了，这是耐心所为，这是时间在流逝，这是旋转的地球所为，它让地球不再转动，时间不再流逝，痛苦停止，只剩下等待，什么也不做，这毫无帮助，什么也不理解，这促进不了什么，而一切都安排好，什么也没安排，什么都没有，什么都没有，这将永远结束不了，这个嗓音将永不停止，我在这里孤身一人，是第一个也是最后一个，我没有让任何人痛苦过，我没有终止过任何人的痛苦，没有任何人将会来结束我的痛苦，他们永远不离开，我将永远不动弹，我将永远不得清静，他们也一样，可是你看，他们不坚持，他们说他们不坚持，他们说我也不坚持，清静，总之是可能的，我怎么坚持呢，这是什么，还有这个痛苦的故事，这是什么，他们说我痛苦，这是可能的，说我会更好如果我做这个，如果我说那个，如果我动弹，如果我理解，如果他们住嘴，如果他们离开，这是可能的，你想让我知道什么，从那些事情里，你想让我明白什么，从他们所说的那些话里，我将永远不动弹，我将永远不明白，我将永远不说话，他们将永远不住嘴，他们将永远不离开，他们将永远得不到我，他们对此永远都不放弃，就这样没什么可说的，我听。我更喜欢这样，我应该说我更喜欢这样，这样什么，哦，你知道，你是谁，那应该是一个听众，看，有了一个听众，那是一场演出，人们买票，人们等待，或者也许那是免费的，那应该是免费的，一场免费的演出，你等待它开始，它是什么，演出，你等待演出开始，那场免费的演出，或者那是义务的，一场义演，你等待它开始，那场义演，那太长了，你等待一个嗓音，那或许是一段朗诵，那场演出就是这样，某个人朗诵，几个选段，检验过的，可靠的，一场诗意的日场演出，或者即兴的日场戏，你勉强听见，演出就是如此，你不能离开，你害怕离开，另外或许更糟，你尽可能地安排，你依据常理，你到得太早，那肯定是糟蹋时间，那还只是开始,那还没有开始,那只是序幕,清清嗓子,一个人在他的化装间里,他即将登台,他即将开始,或者那是监督,他在下命令,他的那些最后的指示,大幕即将拉开,那就是演出,等待演出,在窃窃私语声中,你听从理智,那算是一个嗓音吗,那也许是气流,升起,落下,伸长,旋转,在众多的障碍中,寻找一个出口,可是其他的观众在哪里,我们没有注意到,受制于等待,你只是孤身一人在等待,那就是演出,一个人,在不安的气氛中等待,盼着它开始,盼着什么事情开始,盼着除了自己之外还有别的什么,盼着你可以走,盼着你不再害怕,你听从理智,你也许是瞎子,你肯定是聋子,演出演完了,一切都结束了,但是手在哪里,朋友的手,或者只是喜鹊,或者付钱来看的东西,它要等很长时间,握你自己的吧,把你带到外面,那就是演出,它一钱不值,独自等待,看不见,听不见,你不知道在哪里,你不知道为什么,一只手来了,把你从那儿拽走,把你领到别处,也许更糟的别处。瞧,为了这个你,我们就这样被盯上,盯上这个你,现在是这个,我更喜欢的这个,我应该说我更喜欢的这个,什么记性,名副其实的粘苍蝇纸,我不知道,我不再喜欢它了,这就是我知道的一切,因此没有必要为此费心，一件人们不再更喜欢的事物，你看见这个，关注这个，一辈子也不，必须等待，发现一个更喜欢的，这将是投身于一个正规调查的时候。再说，勇士们，勇士们，你永远不知道，再说他们对我的态度没有改变，我搞错了，他们搞错了，他们骗了我，他们希望骗过我，说它已经改变，他们对我的态度，但是他们没有骗过我，我没有明白他们想干什么，他们希望我干什么，我说人家要求我说的话，就这样没什么可说的，还有，我不知道，我感觉不到一张嘴，我感觉不到词语在我的嘴里你推我搡，当人家说他喜欢的一首诗的时候，当人们喜好诗歌的时候，在地铁里，或者在他的床上，对他来说，这些词语在那儿，某个地方，一点声音也不出，我对此也感觉不到，落下来的词语，你不知道在哪儿，你不知道从哪儿来的，穿过沉默的点滴沉默，我感觉不到它，我感觉不到一张嘴，我感觉不到一个头，我感觉得到一只耳朵了吗，请你坦率地回答，我是否感受得到一只耳朵，嘿，真没有，活该，我也感觉不到一只耳朵，这情况不妙的东西，好好找一找，我应该感觉到什么东西，是的，我感觉到什么东西，他们说我感觉到什么东西，我不知道这是什么，我不知道我感觉到什么，告诉我我感觉到的东西，我将告诉你我是谁，他们将告诉我我是谁,我将不理解,可这就是,他们将告诉我我是谁,而我将听到这个,没有耳朵我将听到这个,我将说这个,没有嘴我将说这个,我将忘乎所以地听到这个,然后立即就在我的里面,我感觉的或许正是这个,有一个外部,有一个内部,而我自己在中间,也许这正是我,把世界分成两半的东西,一半外部,另一半内部,这可能薄得像刀刃,我既不属于一侧也不属于另一侧,我在中间,我是隔墙,我有两面而没有厚度,我感觉到的或许正是这个,我感觉到它颤动,我是鼓膜,一侧是脑袋,另一侧是世界,我既不属于这一侧也不属于另一侧,你不是在对我说话,你想的不是我,不对,不是这个,对这一切我没有丝毫感觉,试一试别的东西,你们这一群猪,说别的东西,让我听得见的东西,我不知道怎么回事,让我重复这个,我不知道怎么回事,毕竟太粗野了,总是说同样的事情,总让我说同样的事情,当他们知道这不是好事的时候,不,他们也同样什么都不知道,他们忘了,他们认为改变了而他们却从未改变,他们将在那儿要说同样的东西直到他为此忍受极大的痛苦,于是可能有一点点的寂静,随后的小组即将开始工作的那段时间,只有我本人是不朽的,我能怎么办,我不能出生,这可能就是他们的计谋，总是说同样的东西，一代接着一代，总是用同样的东西侮辱我，一直到，我怒不可遏，我开始号叫，于是他们说，他啼哭了，他即将发牢骚，这是必然的，我们走吧，没必要目睹这个，别的人在等我们，他结束了，他的痛苦结束了，他的痛苦即将开始，他的痛苦即将开始，他得救了，我们救了他，他们所有人都一样，他们听任自己拯救所有人，他们听任自己让所有人出生，这曾经是一个艰巨的活儿，他将有个光明的职业生涯，在狂怒中，在悔恨中，他将永不宽恕自己，并将这样离去，这样闲聊，鱼贯地，或者两个两个地，沿着沙滩，这是一个沙滩，在卵石上面，在沙漠里面，在夜空中，这是夜晚，这是你所知道的全部，夜晚，阴影，无论在哪里，在地球上。是的，可是看，我的怒不可遏，我不会摆脱不了，夜晚也是一样，这不确定，这没有必要，拂晓也留下长长的影子，对所有依然还站着的人，算在内的只有这个，只有阴影包括在内，没有属于它的生命，既无形状也无休息，这也许是拂晓，是夜晚的晚上，问题不在那儿，他们离开，就这样离开，走向我的兄弟们，不，不是这个，没有兄弟们，是的，撤回来，他们不知道，他离开，不知道去哪里，朝着主子，这有可能，好好记住，这有可能，以便他解放他们，对他们而言这结束了，对我而言这开始了，结束开始了，他们停住，以便听我的叫喊，他们将不再停住，如果，他们将停住，我的叫喊将停住，不时地，我将停止叫喊，为了听，有没有人回答我，为了看，有没有人来，然后我将走，我将闭上双眼我将喊叫着走，在别处喊叫。是的，可是看，我的嘴，我将张不开它，我将不能，我是懦夫，好买卖，我将长出一个，首先是一个小洞，越来越宽，越来越深，好像将坠入我的身体，就像有了活力，并且立即号叫着，弹回来。但是不是太苛求了，是不是过分了，要求这么多，对这么一点儿，这有用吗？还不够吗，原样的事物没有任何改变，就像它一贯的样子，没有一张嘴凹陷在即使皱纹也从来不会显露出来的地方，还不足够吗，什么够不够的，线索丢掉了，算啦，我们再找一个，一个微小的动作，下陷的，抬起的一个细节，这造成轻微的刺激，整体都做出回应，这是滚雪球，这很快就会是全面的骚动，运动本身，严格意义上的旅行，商务的，修学的，休闲的，不拘形式的自愿迁移，爱情的和孤独的散步，我提供了一些大的线索，体育运动，彻夜不眠，柔软体操，运动失调，痉挛，死尸的僵硬，骨骼的发掘，这应该足够了。这就是词语的问题，嗓音的问题，一定不要忘记它，一定试着不要彻底忘记它，这涉及它们，我自己要说的一件事，这不清楚，这需要琢磨，是不是整个生和死的大杂烩，它们对我也同样，并不是完全陌生的。事实上他们不知所措了，我不知所措了，我自己从来就不知道这个，我自己总是处在不知所措的地步，我不知道这是哪里，也不知道这个不知所措指的是什么，随便哪个进程，我会被禁闭在那里，或者说我还没有到达，我处在无论什么阶段，这正是让他们烦恼的，他们希望我在什么地方，无论什么地方，如果他们可以停止推理，对他们，对我，对要达到的目标，而仅仅是继续，既然必须这样，直到筋疲力尽，不，也不是这个，仅仅是继续，没有哪天已经开始，哪天可以作出结论的幻想，但是这太难了，太难了，缺乏目标，不相互巴望着一个结束，存在的理由，你并不存在的时间。同样困难的还有不忘记，在他渴望要干什么事情的时候，为了无须再做这件事情，为了至少有这件事要干，而没有任何要干的事，任何特别的事情要干，任何可做的事情要干。还有必要的，在渴的时候，在饿的时候，不，无须饿，渴就足够了，在渴的时候，给自己讲故事也没用，为了消磨时间，故事消磨不了时间，没有任何东西让时间消磨，这没什么，这就是这样，你给自己讲故事，然后你给自己讲随便什么，同时说，这不再是故事，而这却始终是故事，或者更确切说从来就没有过故事，这向来就是无论什么，你过去向来就是在给自己讲述无论什么，与你回忆得起来的同样久远，不，比这稍微远一点，你什么都回忆不起来，总是无论什么，总是同样的事情，为了消磨时间，然后，时间不再流逝，毫无理由，在渴的时候，希望停止，不能停止，寻找为什么，为什么说的需要，这停止的需要，停止的这个不可能性，找到为什么，不再找到，重新找到，不再重新找到，不再寻找，仍在找到，什么都没找到，最终找到，不再找到，总是说，总是口渴，总是寻找，不再寻找，总是说，仍在寻找，琢磨什么，这涉及什么，寻找你寻找的，高喊哦是的，叹息不对，呻吟够了，宣布还没有，总是在寻找，失去理智，寻找球，总是讲述，无论什么，总是寻找，无论什么，在渴的时候，你不再知道什么，哦是的，要干的什么事情，可是不对，不再有任何要干的了，从什么时候，从永远，另外也够了，至少，除非，从那儿开始找，再一次努力，找什么，这是真的，试图知道，在找之前，你找的东西，在从那儿开始找之前，从哪儿，总在说，总在找，在自己身上，在自己身外，不再找，失去理智，诅咒上帝，不再诅咒他，受不了了，一直受得了，总在找，在自然中，在智力中，不知道什么，不知道哪儿，哪儿是自然，哪儿是智力，你找什么，谁在找，在找你是谁，最后的迷失，你是哪儿，你所做的，你为他们所做的，他们为你所做的，总是说，其他人在哪儿，谁在说话，说话的人不是我，我在哪儿，这是哪儿，我过去一直在的地方，其他人在哪儿，说话的是其他人，他们在对我说话，他们在说我，我听见他们，我是沉默的，他们想要什么，我为他们做了什么，我为上帝做了什么，他们为上帝做了什么，上帝为我们做了什么，他什么也没有为我们做，我们什么也没有为他做，我们什么也不能为他做，他什么也不能为我们做，我们是天真的，他是天真的，这不是任何人的错，谁不是任何人的错误呢，事物的这种状态，事物的什么状态，就是这样，它就是这样，是安静的，它将这样，谁将这样，怎能这样，总是说，在渴的时候，失去理智，总是寻找，不再寻找，仍在寻找，他们想要什么，要我是这个，要我是那个，要我喊叫，要我动弹，要我从这里出去，要我出生，要我死亡，要我听，我听，这还不够，要我懂，我试，我不能，我不试，我不能试，我对此厌烦了，可怜的人，他们也一样，让他们说出他们想要的，要给我什么该干的事情，可干的什么事情，给我的，这些可怜的人，他们不能，他们不知道，他们和我相像，越来越像，不再需要他们，不再需要任何人，任何人都无能为力，这是我在说话，没必要给自己讲故事，在渴的时候，在饿的时候，在冰冷的时候，在酷热的时候，你没有任何感觉，这真奇怪，你感觉不到一张嘴，你再也感觉不到嘴，不需要一张嘴，词语到处都是，在我身内，在我身外，居然这样，刚才，我没有了厚度，我听见他们，无须听见他们，无须一个脑袋，没办法止住他们，没办法停止，我是词语的，我是由词语做成的，别人的词语，什么样别的人啊，地点也一样，空气也一样，四壁，地面，天花板，一些词语，整个宇宙都在这里，和我在一起，我是空气，四壁，被困住的人，一切都屈服，敞开，失去控制，回流，一些絮团，我是所有这些絮团，增长，结合，分开，无论我去哪儿我都同样存在，我深信不疑，朝着我自己走，从我自己出发，从来只有我自己，我自己的一小块，复苏的，丢失的，缺少的一小块，一些词语，我是所有这些词语，所有这些外来者，动词的这个遗骸，没有落脚的深度，没有消散的天空，为了说话的相见，为了说话的躲避，我是它们的全部，相互结合的这些，相互分开的这些，相互不知道的这些,不是别的事物,不,全部别的事物,我是全部别的事物,一个沉默的事物,在一个艰苦的、空洞的、封闭的、干燥的、洁净的、漆黑的地方,那里没有什么不动弹,没有什么不说话,而我听,而我听见,而我寻找,就像在笼子里出生在笼子里死亡出生和死亡出生和死亡在笼子里在笼子里出生然后死亡出生然后死亡的那些牲口的出生和死亡在笼子里出生和死亡在笼子里的那些牲口的出生在笼子里的那些牲口的出生在笼子里的那些牲口的出生在笼子里的那些牲口的出生在笼子里的那些牲口的出生在笼子里的那些牲口的出生在笼子里的那些牲口中的一头牲口,我说,他们说,就像一头牲口,这样的一头牲口,我寻找的,就像这样的一头牲口,以我可怜的方法,一头这样的牲口,不再有它的种类只剩下恐惧,狂怒,不,狂怒已经结束,只有恐惧,从它那儿传来的全部东西只有恐惧,百倍的恐惧,对黑暗的恐惧,不,它是瞎子,它生下来就是瞎子,对响动的恐惧,随你怎么说,必须这样,需要什么东西,很遗憾,那就是这样,害怕这个响动,害怕这些响动,牲口的响动,人的响动,白天和黑夜的响动,这足够了,害怕这些响动,所有的响动,多多少少的,多多少少的恐惧,在所有的响动中,其中只有一个，唯一的一个，夜以继日地继续，这是什么，这是来来去去的脚步，这是说了好长时间话的一个嗓音，这是开辟一条道路的一些身体，这是气流，这是所有的事物，这是事物中的气流，这足够了，我所寻找的，就像牲口，不，不像牲口，像我自己，我以我自己的方式说，以我自己的方法寻找，我现在在找什么，我寻找的这些，我所寻找的是，这应该是这个，这个只可能是这个，这是，这可能是这个，这可能是，什么，我所找的，不，我所听到的，我想起来这里，我全都想起来了，我寻找，我听说我寻找的这个可能正是的，我所听到的，我想起来这里，这个能从哪里来，一直到我这里，既然这里一切都闭嘴，且墙壁很厚，而我怎么办，我感觉不到一只耳朵，感觉不到一个脑袋，既没有一个身体，也没有一个灵魂，我怎么办，为了什么，可是为了什么都不做，我怎么办，这不清楚，你说这不清楚，缺少什么东西以至于这不清楚，我将去寻找，我将去寻找这缺少的什么，以便一切都清楚，我总是正在寻找什么东西，这是枯燥乏味的，最终，而这还只是开始，我怎么办，为了什么，在这种情况下，为了做我做的事情，即我所做的事情，我所做的事情，必须找到我所做的事情，告诉我我所做的事情，我将问这怎么可能，我听见，你说我听见，而我寻找，这不是真的，我什么也没寻找，我什么都不再寻找，最终，我们放弃吧，不要坚持啦，而我在寻找，他们正在为我更新记忆，而我寻找的，第一，就是这，第二，这来自哪里，第三，我怎么办，行了，我怎么办，为了做这个，鉴于这个，由于那个，因为我再也不知道什么，瞧这是清楚的，我怎么办，为了听见，而我怎么办，为了懂得，这不是真的，我靠什么懂得，我正是为了这个才琢磨的，我怎么办，为了懂得，哦，不是一半，也不是百分之一，也不是五千分之一，继续被五十除，也不是百万分之一的四分之一，够了，可毕竟是一点儿，必须这样，这样好一些，很遗憾，这就是这样，毕竟是一点点，最不可能的，这是可以感觉的，这是足够的，千分之一，万分之一的表达式的总体倾向，继续除，除以十，再没有比计算更让人放松的了，十万分之一，一百万分之一，这过分了，这太少了，你出错了，这没什么关系，这改变不了什么，这里，从一种表达到另外一种，抓住一个就抓住了所有的，这不是我的情况，所有的，你站着说话不腰疼，总是为了全体，全体就是全体，全体就是虚无，从来不在中间，从来不，永远不，这过分了，这太少了，经常，不常见，让我们概括一下，闲话不多说了，这里有我自己，我感觉到了这个，是的，我承认这点，我点头了，这里有我自己，必须这样，这样好一些，我本来没有说，我不会总说这个，我得益于这个，应该说，这是一种说话的方式，说这里有我自己，这是一方面，而这另一个人的响动，这我从来没有怀疑过，不，请理智一些，这是毫无疑问的，这个响动，是另一方面，如果这是另一个人的响动，这将肯定是我们下一次商议的内容，我想说的是现在是头脑清醒地、彻底解决这个问题的时候了，我概括一下，现在我在那儿是我自己和这个响动，目前我看不见任何别的东西，然而我只是刚刚进入岗位，我自己和这个响动，而什么时候就这样了，别问我，我将尽力而为，我再说一遍，我自己和这个响动，两个事物，关于这两个，颠覆自然规律的事物，似乎最终被确认了，特别是，它是，就是说，我自己在寻找，我寻找的确切地是什么东西，找到，丢失，重新找到，扔掉，又一次寻找，又一次找到，又一次扔掉，不，我从来没有扔掉过任何东西，从来没有扔掉过任何我找到的东西，从来没有找到过任何我丢失过的东西，从来没有丢失过任何我曾经可能扔掉的东西，如果是我本人在寻找，找到，丢失，再次找到，再次丢失，仍在寻找，不再找到，不再找，仍然在找，仍然找到，仍然丢失，不再寻找，如果是我自己，那么是什么，如果不是我自己，那么是谁，这是什么，目前，我看不出什么其他的，不对，不对，我总结一下，不能肯定，鉴于讲述哪怕是无论什么都是无用的，以便时间流逝，我为什么做这个，如果是我自己做的这个，就像是需要有理由去做无论什么事情，以便时间流逝，这没什么关系，你可以琢磨这个，为了记忆，为什么时间不流逝，不丢弃你，为什么它在你周围堆积起来，瞬间接着瞬间，从四面八方，越来越高，越来越厚，属于你自己的时间，其他人的时间，早就死了的死人和新近死的死人的时间，为什么它来用滴管不管活不管死地埋葬你，没有一点点的记忆，没有一点点的希望，没有一点点的知识，没有历史也没有未来，被一秒秒的时间埋葬，讲述着无论什么，嘴里都是沙子，毫无疑问，这跑题了，没有说到点子上，时间和我自己，这是两回事，但是你可以琢磨这个，为什么时间不流逝，就这样，为了记忆，在流逝的同时，以便消磨时间，目前，我认为这就是全部，此刻，我再也看不到其他的人，我什么也看不见了。不再需要我提出一些问题，如果是我自己，这些机灵鬼，它们妨碍我找到自我，至少这不涉及另外一个人，另外两个人，就像另一个人所说的，不再需要这样了。其他的解决方法，既然要做，是这样，大胆地，当然有其他的解决办法。大量使用简约法则，犹如这是我拿手的，还不太晚。尤其今后臆想说的事情和听到的事情是来自同一个发源地，避免对预测无论什么的可能性产生疑问。立足于我身上的这个发源地，并不确切指明哪里，并不精益求精，比第三个人的观点更为可取，比更普通一些的观点，一个外部世界的观点更可取。必要时把这种精简一直提高到不再考虑头脑异常愚蠢的一个聋子，不再听他说的任何话，既不提前也不太晚，也不对此有错误的哪怕最低限度的理解。提到困难的时刻，那时气馁就快要出现了，一张愚蠢的，血红的，下唇突出的，流着口水的，大嘴的图像，在单人牢房里，持续不停地呕吐，带着洗涤的声音和粗俗的接吻声，吐出噎着它的那些词语。一劳永逸地撇开，和惯用的罚入地狱的类比一样，开始和结束的全部概念。克服，不言而喻，致命的表达习惯。既无所顾忌又不讲分寸，把自己当作存在的那个人，以某种方式，哪一种并不要紧，不精益求精，当作眼下的这个故事，瞬间里巴望成为他那个故事的主人公。更有甚者，借给我一个身体。更更有甚者，给我窃取一个头脑。谈论一个属于我的世界，也称内部的世界，而不让我难受。不再怀疑任何东西。不再寻找任何东西。利用灵魂，利用厚度，完全崭新的，以便，以唯一的一次可能的弃权，在内心里弃权。最后，简短地，做出的决定，而且还有其他的，像以前一样平静地继续。还是有一些事情改变了。自此，只字不提马胡德，不提沃姆，哦，是的，我忘了，谈论时间，不发牢骚，并且，我想到这儿，通过概念的一种自然的组合，同样无拘无束地使用空间，就像它没有被从四面八方堵上，留下几英寸，这已经不错了，几英寸，给我一些空间还是怎么着，给我一些空间，从那儿伸出舌头，已经伸出来了，再伸一点。当我想到这里，也就是说，不，我什么也没说，当我想到这里，在我随着这些锯末盒子一起完蛋的时候，由莫菲开始，他不是第一个人，而我尽管干我的，在家里，在手底下，在我自己的皮肤和骨头下面崩溃，若干事实，因为孤独和遗忘而筋疲力尽，到了我怀疑我的存在的地步，而且更甚，今天，我一秒钟也不再相信这个了，因此我应该说，当我说的时候，谁说话，并寻找，当我寻找的时候，谁寻找，并寻找，照着这样继续下去，而我所碰到的所有其他的事情，以及为了这些事情而必须找到的某个人，因为碰到的事情需要某个人来让它们发生，也需要某个人来止住它们。可是莫菲和其他人,要以我们的两个小伙子结束,不能制止它们,我碰到的这些事情,对他们也一样,什么也不会碰到,没有任何我碰到的,也没有任何别人碰到的,没有任何别的,别让我们再遭受更多词语了,除了我碰到的这些事,就像听到的,就像谈论的,就像寻找的,那些不能碰到我的东西,在我周围不怀好意的东西,就像一些受苦的家伙,因为被固定住而痛苦,因为停下来而痛苦,不,就像一些鬣狗,嗥叫和叫喊着,也不是,活该啦,我把它们拒之门外,我在这里什么也不是,我的那些门对他们关上了,也许那就是沉默,就是清静,打开它们的门任它们吞噬,它们会停止狂吠,它们开始吃,狂吠的那些大嘴,张开,张开,你们会好的,你们将看到。这多好啊,回到过去,在两次沉醉之间,一览无余纵览天下,这是一种愉快,我的天啊,但愿不会被淹死,在这种环境下。是的,可是看,我离我的那些门很远,远离我的地盘,必须唤醒狱卒,这里肯定有一名,也远离我自己的那些话,让我们转回去,它不在那里,不在我认为看见了它的那个地方,固体和液体的这种奇怪的混合物,不再是同一个,或者此时我搞错了地点,没有,是同一个地点,一直是那儿,在同一个地点,很遗憾,我本来希望忘掉它,我本来希望迷失自我，我真想像过去一样迷失自我，在我有想象力的那段时间，闭上眼睛身处树林里，或者身处海边，或者在我一个人都不认识的一座城市里，那是夜里，所有人都回家了，我在街道上行走，我一条接一条地穿过街道，这是我青春时代的城市，我寻找我的母亲，为了杀死她，应该早就想到这个，在出生之前，天下着雨，我感觉很好，我在马路的中央行走，同时不断地来几个大大偏移，现在结束了，闭着眼睛时我看见了同睁开眼睛时见到的一样的东西，也就是说，等一等，我即将说这个，我即将试着说这个，我奇怪地知道了可能是的这个东西，我所看到的，睁着眼睛，闭着眼睛，什么也没有，我再也看不见任何东西，这可没料到，这令人失望，我期待的比这强，正是这个让我不能迷失自我，我给自己提出一个问题，这不能再让我迷失，什么也看不见，从我瞟着的某个方向，也没有，盲目，这个来来往往大肆乔装打扮的小造物，从黑暗走向光明，尽他的可能，寻找方法，留在，穿过活人中间，或者，被关起来，从窗户看总是在改变的天空，就是这样，不再能够迷失自我，我不知道，过去我看见了什么，当我冒着看一眼的风险时，我不知道，我想不起来了。不管怎么说，我现在拥有两只眼睛，无论我睁开它们还是闭上它们，两只眼睛，兴许是蓝色的，要知道这是没用的，因为目前，我还有一个脑袋，脑袋里有被知道的各类事情，我说的是我自己吗，这可能吗，当然不可能，我还知道另一件事，当我不再说话的时候我才谈论我自己。另外这里的问题并不是谈论我自己，问题是谈，问题是不再谈，这种微微的杂乱无章让我觉得是个吉兆，我还必须为这个最后的代位人找到名字，为他那吱嘎作响的卑鄙的确信的脑袋和布娃娃的眼睛，以后，以后，首先必须更长地描写他，看见他能干的事情，他出来的地方，非常重要，他回去的地方，当然在他的脑袋里，我们将不会重新掉进流浪汉体裁，在经历了马胡德和另一些沃姆之后。现在，是我自己在哇啦哇啦地说，围攻者已经离去，我是船上的主子，在耗子之后，我不再在船帮之间爬上爬下，在带着骨瘦如柴的阴影的月光下，固体和液体的这种奇怪的混合物，一会儿再来一点点空气，这些基本元素就将齐全，不，我忘了火，还是古怪的地狱，这也许是天堂，这也许是大地，这也许是大地底下的一个湖的湖岸，你难以呼吸，你还是在呼吸，这并不确实，你什么也看不见，你什么也听不见，你听见死水和污泥的长长的接吻，头顶上只有二十几英寻的地方人们来来往往，你梦见他们，在长长的梦中有觉醒者的位置,你琢磨你从哪儿得来的这些情报,你甚至还看见了草地,清晨的草地,带着露水的淡青绿色,在我看来并不漂亮,这不是我的眼睛,我的眼睛已经完结,它们甚至不再哭泣,它们因为习惯的作用张开和闭上,一刻钟的开启,一刻钟的闭幕,就像是巴特西公园里有铁栅栏的山洞里的猫头鹰的眼睛,巴特西公园,这让我想起什么,啊,葬礼,因此我从来没有停止对自己一生抱有希望。不,不,也不是脑袋,尤其不是脑袋,在他的脑袋里也一样,他哪儿也不去,我试过。被捆在桩子上,眼睛突出来,嘴被塞住,一直塞到喉咙口,你喘口气,在自己的榆树下①,雪莱这样说,对箭没有感觉。不对,从脑袋,但是是满的,满了的骨头,你就埋在那里面,就像山洞里的一具骨头架子。毕竟这可能就是我。反正我不能继续下去了。但是我应该继续。我将继续下去。空间,空间,我将寻找空间,时间中的空间,时间的空间,在空间中,在我的脑袋里,这样我才可以继续。不管怎样,嗓音降低了,这是第一次,不是,我知道这个,它甚至经常住嘴了,就像这样它将再次结束,我会住嘴,缺少空气,然后空气重新来

---

① "在榆树下等待"(attendre sous l'orme)意为永远等不到。

了我将重新开始。我的嗓音。嗓音。是的,我听得不那么清楚了。我知道这个。它将停止。我将不再听见它。我将住嘴。不再听见这个嗓音,正是这个我让我住嘴。也就是说,在认真听的时候,我还将听到它。我将认真听。认真听,我正是把这个叫作我闭嘴。被打断的,微弱的,我将永远听见的,在努力听的时候也无法听清楚的嗓音。总是听见它,却听不见它说的是什么,我正是把这个叫作我闭嘴。然后它将膨胀,就像重新燃起的一把火,就像重新熄灭的一把火,马胡德给我解释过这个,我醒过来,从寂静中。我听得太不清楚,根本就无法说,这就是我的沉默。这就是说,我一直在说话,但是有些时候声音非常小,离我非常远,在我身体里非常的远,无法让我听见,不,我听得见,是无法让我理解。并非我从来不理解。它远离了,它回来了,在门后,我将住嘴,这将是沉默,我将听,这比说更糟,和痛苦一样糟,不,不更糟,一样糟。除非这一次是真正的沉默,是我无须再打断的那个沉默,在这个时候我本来无须听,我可以在我的角落里流口水,脑袋发疯,舌头发僵,我曾经试图取得的这个寂静,我认为可以取得的这个寂静。我不再指望这个了。我将停止,也就是说我将摆出样子,其他的也将如此。犹如你看我一样！犹如那曾经是我！这将是一直以来的那同一个沉默，穿越了不幸的窃窃私语，还有气喘吁吁、无法理解的抱怨，与笑混在一起，一些短短的沉默，就像一个过早埋葬的人。不管是长还是短，将持续多久就持续多久。然后我将重新开始，我将复活。这就是我费尽力气将能赢得的东西。除非这一次是真正的最终的沉默。我或许已经说了必须说的话，这让我有权住嘴，不再听，不再听见，不知道它。我已经听了，我已经稍微住嘴了。下一次我不会这么费力气，我将讲述马胡德的一个老故事，无论哪个故事，这些故事总是相同的，我不厌烦，我不再照顾自己，我将知道，无论我说什么其结果都将是同样的，知道我将不会沉默，知道我将永远得不到清静。除非我再试一次，最后一次，说必须说的话，关于我自己的，我感觉那是关于我的，我的错误也许就在那儿，为了不再有任何要说的，没有任何要听的，在死之前。嗓音回来了。我为此高兴。我将尽快地试一试。试一试什么。我不知道。试一试继续下去。现在一个人都没有。这是一个好的继续。不再有任何人，这是令人不舒服的，如果我有记忆我也许会知道那就是结束的信号，可能是一个好的，最后一个停顿的信号，再没有任何人，没有说话的人，没有和你说话的人，应该说，是我自己创造了我自己的生命，是我自己对我谈论我自己。于是气不足了，这是结束开始了，人们闭嘴了，这是结束，这不是一次结束，人们重新开始，人们已经忘记了，有某个人，和你说，谈到你，谈到他，然后是第二个人，然后是第三个人，然后又是第二个人，然后三个人同时，这些指示性的数字，全都一起，和你说话，谈到你，谈到他们，我只能听着，然后他们走了，一个接一个地，他们闭嘴了，一个接一个地，而嗓音还在继续，这不是他们的嗓音，他们从来就没在那儿，从来这里就没有人，除了你没有人，从来就只有你，跟你谈论着你，气不足了，这几乎接近了终结，喘气停止，这是终结，这不是一次终结，我听见我叫喊，它重新开始，它应该是这样发生的，如果我有记忆的话。如果依然还有东西，一件东西在什么地方，大自然的作品，谈论的东西，你也许会迁就既成事实，一个不再有人的既成事实，成为这个说话的人的既成事实，如果在什么地方有一件东西，谈论的东西，哪怕没有看见它，哪怕不知道这是什么东西，只是感觉到它在那里，和它在一起，在什么地方，你也许有勇气不闭嘴，不，要闭嘴才真正需要勇气，因为你将因为闭嘴了而受到惩罚，你将被罚，可是，你不能不这样做，你只能闭嘴，只能因为曾经闭嘴了而被罚，只能被罚已经被罚，因为你重新开始了，气不足了，哪怕只有一件东西也好啊，可是瞧，一件东西也没有，是他们在出发时带走了这些东西，他们带走了大自然，这里从来就没有人，这里从来就什么都没有，没有人只有我，没有任何东西只有我，谈论我自己的我，不可能停下来，不可能继续下去，但是我应该继续，我因此将继续，没有任何人，没有任何东西，只有我自己，只有我自己的嗓音，也就是说我将停止，我将结束，这已经是结尾了，结尾已经开始了，它将不是一个结尾，这是什么，一个小小的洞，你下到里面，这是沉默，比声音还更糟，你听，这比说话更糟，不，不更糟，一样糟，你不安地等待，他们把我忘了吗，是的，不是，人家叫了，人家叫我，我重新出来，这是什么，一个小小的洞，在沙漠里。最糟糕的是结尾，不对，最糟糕的是开始，然后才是中间，然后才是结尾，到最后，最糟糕的是结尾，这个嗓音，每个瞬间都是最糟糕的，那是在时间中度过的，时间一秒秒地过去，一秒接着一秒，一跳一跳的，它不流动，它们不过去，它们到达，砰，乓，砰，乓，插进你的身体里，然后弹跳起来，然后不再动弹，当你不知道谈什么好的时候，你就谈论时间，谈一秒一秒的时间,有的人在这些那些秒钟里面又添加了一些秒,于是就构成一个生命,我本人则不能,每一秒都是第一秒,不,第二秒,或者第三秒,我有三秒,还有,不是每天。我曾经在别的地方,做着别的事情,曾经在一个洞里,我刚刚从那里出来,我也许曾经闭了嘴,不,我说这话,是为了找一些话说,为了能再继续下去一点,必须还要继续下去一点,必须还要长期继续,必须永远都要继续,如果我回想起我说过的话我就可以重复这话,如果我可以记住什么东西我就将得到拯救,我必须说同样的事情,而每一次都是一次努力,这些秒钟应该是相同的,而每一秒都是坏的,我现在正在说什么呢,我正在问我自己这个问题。然而我有记忆,我回想起了沃姆,也就是说我记住了这个名字,而这另一个,他叫什么来的,他叫什么来的,待在他的瓮罐里,我清楚地看见他,我看他比看我自己还清楚,我知道他是怎么活着的,现在我想起来了,只有我自己看见过他,可是我自己呢,没有人看见我,他也一样,我不再看见他,马胡德,他叫马胡德,我不再看见他了,我不再知道他怎么活着了,他不再在那儿了,他从来就没在那儿,在他的瓮罐,我从来就没有见过他,然而我却回想起来,以便可以说一说这个,我应该说这个,相同的一些词汇返回来而这就是我的回忆。是我自己创造的他,他还有许多别的人,还有他们经过的场所,他们停留的那些场所,以便能够说话,既然必须说,不谈论我自己,我不能谈论我自己,你没有对我说过我必须谈论我自己,我创造出我的回忆,不知道我做的是什么,没有一个是关于我自己的。这是他们要求我谈论他们,他们希望知道他们曾经是怎样的,他们怎样生活,这对我很合适,我认为这对我很合适,既然我没有任何要说的,既然我应该说点什么。我以为我可以自由地想说什么就说什么,既然我不闭嘴。然后我想我所说的毕竟不一定必须就是无论什么,我所说的,满可以是人家要求我的东西,假设人家有求过我什么东西。不,我什么都不相信,而且我也什么都不想,我尽力而为,一件超出我能力的东西,通常会让我受不了,那么我就不再做它了,然而这东西会继续自己造出来,让人听见的嗓音,那不可能是我自己的嗓音,既然我已经不再有嗓音了,然而这应该是谁呢,既然我不能住嘴,而且我是一个人,在任何嗓音能到达的范围之外。是的,在我的生命中,既然必须这样称呼它为生命,我生命中曾经有过三件事,谈话的不可能性,住嘴的不可能性,还有孤独,当然是身体的孤独,对这个我能凑合。

是的，现在我可以谈论我的生活，我已经非常疲倦，不能做得太细微，但是我不知道我是不是曾经活过，对此我的确没有任何想法。无论怎样，我相信我即将彻底住嘴，尽管有禁令。于是，是的，就这样，就像一个活人，前进，我会死的，我即将成为死人，我希望这让我有所改变。过去我本来希望住嘴，我有时认为这会是我曾经这样勇敢地说话的补偿，还活着就进入了沉默，为了享受沉默，不，我不知道为什么，为了感觉到闭嘴的我，与我自己一向掀起的这个气流结合在一起，不，这不是真正的气流，我不能说它，我不能说为什么我原本希望我在死之前闭嘴，为了最终稍稍成为过去一直是的那个，我从来没能是的那个，不害怕更糟糕的安静，无论在哪儿，曾一直有的我从来不能的休息，不，我不知道，这更简单，我巴望我自己，我想要我的国度，我巴望待在我自己的国度里，一小会儿，我不希望死在国外，在外国人中，在我家里成为外人，在入侵者中间，不，我不知道我希望什么，我不知道我相信什么，我过去应该大量地希望东西，大量地想象疯狂，同时说着话，不知道确切地是什么，变成瞎子，欲望和幻想，把一个建造在另一个之上，我本应该更好地注意我所说的话。而后来事情没有这样发生，事情就是这样发生的，在目前发生，也就是说，我不知道，不应该相信我说的话，我不知道我说的是什么，我就像我一贯做的那样做，我尽可能地继续。至于相信我即将彻底地住嘴，我不特别地相信，我过去一直相信，就像我一直相信我从来没有闭嘴一样，你不能把这称作相信，这是我的地盘。可是从那时以来，真的什么都没有改变吗？如果不是必须说一些话，而是相反，我有什么要干的事情，用我的双手，或者双脚，例如一件筛选的工作，或者是一般的整理工作，假设我需要这里的什么东西，我会头脑清醒的，不，不一定，我从这里看见了这个，他们已经安排好了以便我能怀疑这两个容器，一个要倒空的和一个要装满的，只能干一件事情，那会是水，水，根据我投出的骰子我将把水倒进一个蓄水池，并把它倒到另一个蓄水池里，或者这里有四个，或者一百个，其中一半要倒空，另一半要装满，被编了号，双数的要倒空，单数的要装满，不，这会更复杂，这会不那么对称，没什么大不了的，倒空，装满，以某种方式，按照某种顺序，根据某种对应，以便我不得不思考，一些蓄水池，相通的，相通的，由地板下面隐藏的管子连接在一起，我从这里看见了，总是表明同一个水平，不，这行不通，希望不会在这里，他们安排好了让我能够得到希望的推动力，不对不对，没有安宁，但是我，我要说我是安宁的，是的，他们安排好了，用一些管子和水龙头，我从这里看见了，以便让我不时想象一些东西，如果我有那件事情要做，而不是这件事情，这个移注的小工作，这会是同一个罐子，我会做好的，我会比现在更好，不，我不想抱怨，我会有一个身体，我不会有任何要说的，我会听见我的脚步，几乎不停顿的，还有水声，还有管子里的空气发出的声音，我不明白，我会有一些热情的时刻，我对自己说，我干得越快，它就形成得越快，必须听见什么呢，希望就在那里，天不会黑，不可能在黑天干这样的工作，这看情况而定，是的，的确我看不见窗户，从这里看不见，然而这并不重要，我看不见窗户并不重要，幸好，幸好，我不需要来来去去，我不能那样做，也不需要灵巧，因为水显然是具有很高价值的，而在路上损失一点点水，或者在取水的时候，或者在灌水的时候，我都将犯下最严重的错误，可是怎么知道呢，在黑天，如果一滴水，这是个什么故事呢，这是一个故事，我又讲了一个小故事，有关我自己的故事，有关本来可能会是我自己的生活的一个故事，即使没有任何改变，他也许就是这样，我在理当通过这里之前，可能已经通过那里，谁知道我会走向多高的目标呢，除非我回来。但是这一次仍然是涉及另一个人的，我很清楚地看见了他，在他的那些木桶之间来来去去，尽力止住颤抖的手，投出骰子，听见它弹起和滚动，阿谀奉承，跪下，趴下，爬行，它停止在那儿了，这应该是我自己，但是我自己从来没有见过我自己，因此不是我，我不知道，如何认出自己，既然从来都没有会见过我自己，它就停在那儿了，没什么可说的了，我不再看见他，我再也没有看见过他，不对，现在他就在那儿，和其他人在一起，我将不提他们的名字，话到此为止，一些人干这个，另一些人干那个，他做的就是我刚才说的那些，我想不起来了，他将回来，给我做伴，只有坏人才没有伴，我后来又见到他，是他希望如此，他希望知道他怎么样，或者他将不再回来，两者取其一，所有人都没有回来，我想说应该责怪我，我只见到他一回，直到目前，很正确，这只是开始，我感觉结尾靠我很近，而开始也一样，各有各的势力范围，这很明显。可是，我再次说明，这里的确没有任何改变，从那时以来，让它继续下去，我现在谈我自己，此后就只谈我自己，这已经决定了，哪怕做不到，没有理由让我做到这点，我于是可以开始。没有任何改变。我毕竟还是变老了，也罢，我一直就是老人，一直在日渐衰老，另外老也改变不了什么，更不用说它说的并不是我，见鬼，我被劈成两半，这没关系。既然你不知道你在说什么而你又不能停下来，冷静地思考，幸好，幸好，你真想无条件地，在当时停下来，我说，既然，看啊，既然你，既然他，啊，这些都打住吧，既然这样，由于那样，好吧，我们不说了，我差一点熄火。属于我的，属于我的，如果我能够描写这个场所，我在场所描写方面是相当成功的，墙壁，天花板，地板，我内行，门，窗，对那时以来的窗户我能想象出来什么呢，有一些窗户朝向大海，你只能看见大海和天空，如果我能置身于一间卧室里，那就不会再搜词索句的了，哪怕没有门，哪怕没有窗户，只有四个面，如果我能够把自己关在里面，就是六个面，就像一个矿井，它可以是黑天，我可以被固定住，我对付得了，去探索它，我会听回声，我熟悉这个，我会回忆起来，我会想象它，我会在家里，我会说这是什么样的，在我家里，而不是随便什么场所，这个场所，如果我能描写，这个场所，粉饰它，我试验过，我感觉不到场所，我周围没有场所，我停不住，我不知道这是什么，这不是肉体，这停不下来，这就像空气，找到啦，这次是我自己，你说这个，这将不持久，就像气体，废话，场所，场所，然后我们考虑，首先是场所，然后我们身处其中，我进入里面，非常坚固，在中央，或者在一个角落，三个面有稳固的支撑，场所，我要是能够感觉到一个场所就好了，我试验过，我将实验，这从来就不是我的场所，我窗户下面的大海，比我的窗户还高，还有这条小船，你想起这条小船了，还有这河流，还有这海湾，我很清楚我曾经有过回忆，遗憾的是它们现在不在我身上了，还有这些行星，还有这些信号灯，还有这些浮标灯，还有这座燃烧的山，那是我什么都不放弃的年代，其他人都利用这个，他们像苍蝇一样死去，或者森林，我基本上不需要一个屋顶，一个室内，如果我可以想象在一座森林里，矮树丛中的矮树丛，或者停滞不前，我含糊不清的话也就结束了，我会描写树叶，一片接着一片，在长芽的时候，在成荫的时候，在落叶的时候，在腐烂的时候，这是好时光，对于没话可说的人来说，但这不是我，这不是我，我在哪儿，我干什么，在这段时间，犹如这很重要，可是瞧啊，这泼了一盆冷水，感觉这么远，心已经不在那儿，心在那儿，在荆棘的中央，受到黑暗的抚慰，你试验大海，你试验城市，你在山中，在平原上寻找自己的路，你能怎么办，人家渴望，人家渴望自己的窝，这不是爱情，这不是好奇，你不安，这是疲劳，你渴望停下来，不再旅行，不再寻找，不再说谎，不再说话，闭上眼睛，但是他们的双眼，把手放在上面，这之后就将不再闲逛。我注意到一件事情，其他人已经彻底消失了。这是可疑的。另外我什么都没有注意到，我尽可能地继续，如果这有了一个含义我无能为力，我已经从这里经过，这一个已经在我之前过去，无数次，轮到他了，他将离开而这将是另一件事，我的过去瞬间的又一个瞬间，瞧，我给我自己的一个旧含义就在这里，我将不再能够给我自己一个旧含义，有一个神负责管那些下地狱的人，就像第一天一样，今天是第一天，它开始了，我很清楚，我将渐渐回忆起来，我将在整个的这一天当中出生，一些毫无意义的起点，而我将到达没有出现过的夜晚。看着我这支突尼斯玫瑰，这就是黎明。如果我可以闭门不出，我会立即闭门不出，那将不是我自己，我将立即搞个场所，那将不是我的场所，那是个理由吗，我感觉不到场所，它也许会发生，我将把它搞成我自己的场所，我将置身其中，我将把什么人放进去，我将在那儿找到什么人，我将插进他里面，我将说那是我自己，也许他将留住我，也许场所将留住我们，一个在另一个里面，它在周围，这将结束，我将无须再动弹,我将闭上眼睛,我将无须再说话,这将是容易的,我将有话要说,我将谈论我自己,我的生活,我将说有趣的故事,我将知道谁在说话,说什么,我将知道我在哪儿,我将或许可以住嘴,他们等待的可能就是这个,瞧又是他们,等待我回到家,以便给我减刑,这是他们不打算停下来的谎言,我将闭上眼睛,我将闭上嘴,最终我将很好,今天早晨就是这样。我把这叫作早晨,是这样,还有些闪烁其词,我把这叫作早晨,我没有很多的词语,我没有很多的选择,我不选择,词语自己来,我本应该避开这个亮点,这是清晨,但是很快,我熟悉它,我把这叫作清晨,如果你看见了这个。我就这样被抛出,你不会说,这或许是我的最后的奔跑,我一直发出马厩的气味,是我闻到自己身上有马厩味,除了我没有别的马厩,对于我。不,我将不做那个,我将不做什么,犹如这就取决于我,我将不再寻找我的住所,我不知道我做什么,它已经被占用了,某个人已经在里面了,很矮的什么人,他不想要我,我明白这点,我将打搅他,目前我将能够说什么,我将想这个问题,我将给自己提出一些问题,这是一个权宜之计,不是因为我冒险闭嘴,那么为什么这么多故事,就是,这么多问题,我知道无数的,我应该知道这些,另外还有那些计划，由于没有问题，这里就有计划，说你将说的和你将不说的，这不受任何约束，并且坏的瞬间过去，他僵硬地倒下死去，突然人家明白了正在谈论人家不知道的什么，犹如人家从没有做别的事情，可事实上，从来没有谈论别的事情，你从远处回来，那是你必须在的地方，那是你在的地方，离这里很远，离一切都很远，如果我能去那里，如果我能够描绘那里，我自己我在地形图方面这样在行，是这样，一些愿望，由于没有计划而有一些愿望，这是要采取的窍门，必须慢慢地说，要是我能就好了，这为你留出时间，如果时间没有让你恢复体力那才是怪事，嗓子后面的一个小小的欲望，只需要显得希望满足它，这会带来严重后果，走上称心如意的因循守旧之路，人们常常在那交错而过，某个人在那里交错而过，要是你知道它就好了，是这样，一些憧憬，你辗转反侧，另一个人也如此，你为他哭泣，他为你们哭泣，这是至上的悲剧，这比笑要好。还有什么，一些评价，一些比较，这比笑强，一切都有助于它，只能帮助它，跨越不利的境遇，需要听到什么，什么不利的境遇，这不是我在说话，是我听到了吗，我们过去，我们做，就像世界上只有我一个人，而我是唯一缺席的人，或者和别的人一起，这又有什么不一样，其他的在场，其他的缺席，他们不必露面，只需漂泊和任自己漂泊，从词语到词语，只能处身于这个没有界标而每个界标又多一点点的缓慢的漩涡中，这是不可能的。某个人说话，某个人听见，无须走得更远，这不是他，这是我自己，或者另一个人，或者其他一些人，这能做什么呢，原因是明了的，这不是他，了解我自己的那个，只有我自己知道，我不能自称的那个人，我什么也不能说的那个人，我试过，我仍在试，他什么也不知道，什么也不了解，既不知道说是什么，也不知道听见是什么，既什么都不知道，又什么都不能，需要试，你不再试，你不需要试，这事不必担心，它自个儿前行，它自个儿前行，从词语到词语，它努力地旋转，你在那里的什么地方，到处，它则不，如果我能够忘记它，有一秒钟，把我带走的这一秒钟的声音，没有要说的，我不说它，我没有时间，这不是我，事实上，我是它，为什么不呢，为什么不说它，我应该说出它，与别的事情一样的它，这不是我自己，这不是我自己，我不能，过去就这样出现，现在就这样出现，这不是我自己，如果这可以谈论它，如果这可以在它身上出现，我肯定会不赞成它，如果这可以有所帮助，如果某个人可以听见我，这是我，这里是我，和我谈谈他，让我谈谈他，我从来没有要求过，让我谈谈他，多乱啊，不再有人了，而它还在持续。正是在这儿它结束了，在这唯一的残存中，然后词语回来了，某个人说我，却没有想到它。如果我能够尽一番努力，注意力的一番努力，试着去了解发生的事情，我遇到的事情，无论什么时候，我不知道，我已经忘记了条件从句后面的主句，但是我不能，我甚至听不见，我睡着了，他们把这称作睡着了，他们又回来了，一定要重新杀死他们，我听见这个可怕的响动，返回真长，我不知道从哪儿，我曾经在那儿的附近，我过去几乎睡着了，我把这称作睡着了，这里只有我，这里过去一直只有我，我希望在这里说，在别处我不说，别的地方我从来没有在过，这里是我的唯一的别处，是我自己做这件事情而且是我自己忍受这件事情，那不可能是别的样子，那不可能是这样的，那不是我的错，所有我能说的就是，这不是我的错，这不是任何人的错，因为没有别的人，这不可能是别人的错，因为这里只有我自己，这不可能是我的，你会说我理智，我自己很希望这样，你本应该教给我理智，你本应该开始教给我这个，在抛弃我之前，我想不起这个阶段，但是我本应该记住什么事情，我想不起已经被抛弃了，我也许受到了一个冲击。

奇怪，死去的这些句子你不知道为什么，奇怪，这多奇怪，这里一切都奇怪，一切都奇怪当你想到它的时候，不，是想到它这件事才奇怪，我应该忍受我住的地方吗，我什么都不能忍受，我需要继续，这就是我所做的，让其他人去推测吧，这里应该有其他人在别的地方，每个人在自己小小的别的地方，在回来的人身上的这一词语，每个人都想，当那一刻回来，这么说的那一刻，让其他人去推测吧，如此这般，如此这般，让其他人去这样，让其他人去那样，假如还有其他人的话，这促使人们继续下去，不管你怎么说，这促使人们继续下去，我这人，我是相信进步的，我也善于相信人，想必人们教过我要相信人。不，没有人教过我任何什么东西，我从来就没有学会过任何什么东西，我始终待在这里，除了我在这里就始终没有过别的什么，从来没有，始终没有，我，任何人，需要永远搅和的老烂泥，现在是烂泥，刚才还是灰尘，看来一定是下过雨了。那个说话的人，一定曾经旅行过，一定曾经见识过，一些人，一些物，他一定曾经在上面待过，在光芒底下，或者有人对他讲过故事，有一些旅行者找到过他，这就替我做了辩解，谁说的，这就替我做了辩解，他，是他说的，或者是他们说的，是的，他们，是他们做的推理，他们相信，不，只有一个人，那个曾经经历过的人，或者曾经看到曾经经历者的人，是他说到了我，仿佛我就是他，仿佛我不是他，两者，仿佛我是其他人，一个在另一个之后，是他这位悲痛者，而我，我在远处，你可听见了，他说我在远处，仿佛我就是他，不，仿佛我不是他，因为他不在远处，他就在这里，是他在说话，他说那是我，然后他又说不对，而我，我在远处，你可听见了，他在找我，我不知道是为什么，他不知道是为什么，他在叫我，他想要我出去，他相信我能够出去，他愿意我就是他，或者另一位，让我们说话公正一些，他想要我上去，上到他里面去，或者到另一位里面去，他相信这事情就这样成了，他觉得我就在他身子中，于是他说我，仿佛我就是他，或者是在另一位的身子中，于是他就说莫菲，或者莫洛伊，我不再知道了，仿佛我就是马龙，但是跟别人已经结束了，他不再要别人而只要他了，对于我，他相信这是最后的机会，他相信这个，人们教会了他相信，这个，那个，始终是他在说话，梅西埃从来没有说过话，莫朗从来没有说过话，我也从来没有说过话，我的样子在说话，那是因为他说仿佛那就是我似的，我差点儿也相信了，你可听见了，仿佛他就是我，我这个在远处的人，这个无法动的人，这个别人无法找到的人，但他也一样，他只能够说话，而且，那兴许还不是他，那兴许是整整的一帮人，一个在一个之后，这很混乱，某个人说到了混乱，这难道是一个错误，这里的一切都是错误，人们不知道是为什么，人们不知道是关于谁的，人们不知道是对着谁的，某个人说人们，这是代词的错误，没有名词给我，没有代词给我，一切来自于此，人们说这个，这是一种代词，那也不是这个，我也不是这个，让我们留下这一切，让我们忘记这一切，这并不很困难，说的是某个人，或者说某个东西，总之，他不在那儿，他在远处，或者他哪里都不在，或者他就在那儿，这儿，为什么不呢，总之，是要谈到他，就这样，人们不知道是为什么，为什么要谈到他，就是这样的，没办法的，没有人能够谈到他，人们说的是自己，某个人说的是自己，是这样的，是单数，单独一人，被指派的人，他，我，是谁都无所谓，被指派的人说到了自己，不是这个，他人，也不是，他什么都不知道，他又怎么能知道，他是说到了还是没说到，说到了自己，说到了别人，说到了种种事物，什么别人，什么事物，被指派的人，说到了自己，那是我，说到了我，怎么知道呢，我不能够知道，我是不是说到了他，我应该说到了他，我只可能说到我自己，不可能，我什么都不可能说到，然而我却在说着，兴许说的是他，我永远也不会知道，我又怎么能知道，谁又能知道，谁知道了又能来告诉我，我不知道这是说的谁，这就是我知道的一切，不，我应该还知道别的东西，人们应该教了我一些东西，涉及的是他，这个什么都不知道，什么都不愿意，什么都不能够的人，是不是什么都不愿意，人们就能什么都不能够，那个既不能说又不能听的人，他就是我，他不能够是我，我不能够说到他，我又必须说到他，所有这一切都是假设，我什么都没有说，某个人什么都没有说，问题不是提出什么假设，问题是要继续下去，事情在继续，假设就像是剩下的其他东西，它有助于继续下去，就仿佛它需要帮助，是这样的，无人称的，就仿佛它需要帮助以便继续一件根本无法停下来的事情，然而不是这样的，它将会停下来，你可听见了，那嗓音说它将会停下来，总有一天，它说它将永远不会停下来，而它说它将会停下来，而我，我没有什么看法，我对什么东西有一种看法呢，兴许对我的嘴巴，假如那是我的嘴巴，我不感觉到有一张嘴巴，这等于什么都没说，假如我能感觉到有一张嘴巴，假如我能感觉到什么东西，我就会尝试，看我能不能够，我知道那不是

211

我，这就是我所知道的全部，我说我，同时我知道那不是我，我是在远处，这就是我所知道的全部，远处，远处指的是什么，不需要在远处，他兴许就在这里，在我的怀抱中，我的怀抱，我并不感觉到我的胳膊，假如我能够感觉到什么东西，那会是一个出发点，一个出发点，啊，假如我还会发笑的话，我可知道那指的是什么，人们一定对我说过那指的是什么，但是我不知道该怎么做，人们一定没有给我显示过该怎么做，那应该是一件不太好学的事情。沉默，关于沉默说有一句话，在沉默之下，这是更糟的，谈论沉默，然后把我给关闭起来，封闭某个人，就是说，说什么呢，关于安静，我很安静，我被关闭起来，我在什么东西里头，这不是我，这就是我所知道的全部，放过这一切吧，就是说，开辟一个地方，一个小小的世界，开辟一个小小的世界，它将是圆的，这一次它将是圆的，这还不太确实，矮矮的天花板，厚厚的墙壁，为什么矮矮的，为什么厚厚的，我不知道，这还不太确实，这还需要看一看，一个小小的世界，寻找一下它会是如何，尝试着来猜想一下，在这里头放上某个人，在这里头寻找某个人，他会是如何，他会怎么做，那将不会是我，这没有什么关系，那兴许将是我，那兴许将是我的世界，可能的吻合，那里将没有窗户，窗户就完结了，大海拒绝了我，天空没有看见我，我不在那里，而夏天夜晚的空气沉重地压在了我的眼皮上，我们必须要有眼皮，我们必须要有眼球，他们一定对我解释过了，某个人一定对我解释过了，那是如何的，眼睛，在窗户前，面对着大海，面对着大地，面对着天空，在窗户前，向着空气，夏天，夜晚，睁开，闭拢，灰色，黑色，灰色，黑色，我想必已经明白了，我想必已经愿意了，愿意要眼睛，为了我，我想必已经尝试过了，我尝试过了，人们对我讲述过的一切事情，我已经尝试过的一切事情，这还在为我所用，还在我的脑子里经过，当我想它的时候，那也一样，必须还要想，还要想那些老的思想，他们把这个叫作思想，那是一些幻象，幻象的残留，人们只看到这些，某些很旧的形象，一道窗户，他们有什么需要，要为我显示一道窗户，并对我说，我不知道，我不记得了，那不会来了，一道窗户，并对我说，还有别的窗户，还有更漂亮的，至于其他的，墙壁，天空，人，例如马胡德，一点点大自然，重复起来太长，太多被忘记，太少被忘记，还有必要吗，但是这一切就是这样发生的，谁可能来到了这里，兴许是魔鬼，我没有看到别的什么人，正是它给我显示了一切，在这里，在黑暗中，怎么说话啦，说些什么啦，一点点的大自然啦，一些名称啦，人们的外表啦，那些形象跟我一样的人，跟我相像的人，他们的生活方式啦，在一些房间里，在一些荫蔽处，在一些岩洞中，在树林里，或者来来往往，我再也不知道是在什么地方，而他把我丢下，知道我在那里寻摸，知道我在那里迷茫，无论我让步了还是没有，无论我已经让步了还是没有，我不知道，那已经不再是我了，这就是我所知道的全部，从那个时候起就已经不再是我了，从那个时候起就没有任何人了，我想必已经倒毙了。所有这一切都是假设，它促使事情向前，我相信进步，我相信沉默，啊，对了，关于沉默说几句话，然后是小小的世界，这就将足够，对于永恒，人们会说那是我，是我在说话，是我在听，是我在制订计划，对于眼下，对于永恒，而我则在远处，或者在我怀抱中的什么地方，或者在边上的什么地方，在墙壁后面，关于沉默的几句话，然后一件唯一的事，一个唯一的空间，而某个人在其中，某个东西在其中，兴许，直到终结，我相信，那已经是晚上了，我把这叫作晚上，今天晚上我相信这个，已经宣告了，人们宣告，然后人们又否定，就是这样的，它使人们继续下去，它使终结来临，那些晚上有一个终结，我说到了晚上，某个人说到了晚上，兴许依然还是早上，兴许依然还是夜里，现在兴许还是夜里，而我，我没有什么看法。他们彼此相爱，他们结婚，为了更好地彼此相爱，更加方便舒适，他离家去打仗，他战死在沙场上，她哭，带着激情，哭她曾爱过他，哭她失去了他，嚯，她再次结婚，为了再爱，再更加方便舒适，他们彼此相爱，必要的话，人们可以愿意爱多少次就爱多少次，为了幸福就得这样，他回来了，另一位回来了，总之，他并没有战死在沙场，她来到火车站迎接，他死在了火车上，带着激情，带着重见她的期盼，她哭，她还是哭，还是带着激情，还是哭她失去了他，嚯，回到了家里后，他死了，另一个死了，婆婆正在把他解下来，原来他上吊了，带着激情，想到他已经失去了她，她哭，哭得更厉害了，带着激情，哭她曾爱过他，哭她失去了他，这是一个故事，这是为了让我知道激情究竟是什么，它就叫作激情，让我知道激情会是什么，有利的已知条件都有什么，爱情会是什么，那么这就是激情，这就是那些东西，火车，前进的方向，列车长，火车站，月台，战争，爱情，撕心裂肺的叫喊，那应该是婆婆，她发出了撕心裂肺的叫喊，一边叫喊一边解下上吊者，她的儿子，或者她的女婿，我不知道，那应该是她的儿子，既然她在叫喊，而房门，房屋的门是关闭的，她从火车站回来后发现房屋的门是关闭的，是谁把它关上的，是他关上的，为了更好地上吊，或者是婆婆关的，为了更好地把他解下来，或者为了阻止她的儿媳妇回到她家里，这是一个故事，那应该是她的儿媳妇，那不是女婿和女儿，那是儿子和儿媳妇，今天晚上我的推理真是很棒，那是为了教会我如何推理，那是为了引诱我前去那里，到人们可以结束的地方，我应该是一个好学生，直到某一点为止，我没有能够超越某一点，我明白到他们有些抱怨我，今天晚上我开始有些明白了，那不是恶意的，那不是我，那本来就不是我，是房门，是那道门让我感兴趣，它是木头的，是谁关的门呢，是出于什么目的呢，我将永远不得而知，这是一个故事，我本以为那些故事都结束了，都被遗忘了，它兴许是一个全新的故事，新鲜的，那是为了回归到神奇的世界吗，不，那只是一种回想，为了表示我对我所失去的事物的遗憾，为了让我重新回到我曾被驱逐出的地方，不幸的是，这让我什么都没有回想起来。沉默，说到沉默，在回去之前，我到底有没有在那里待过，我不知道，我在那里的每一个时刻，我从那里出来的每一个时刻，这就是我在说的东西，我知道它会来的，我从那里出来为了说一说，我在那里的同时也在说，假如就是我在说话的话，而那并不是我，我做得如同就是我一样，我常常做得如同就是我一样，但是很长时间，我在那里待了很长时间，一段长长的日子，我对时间的持续一无所知，我无法说清楚，我说得很好，我说从不，还有始终，我说到了一年四季还有昼夜交替的各个部分，夜晚是不分什么部分的，那是因为人们睡着了，四季应该是彼此相像的，眼下的时刻应该是春天，这是人们教给我的一些词，但他们并没有让我领会它们的确切意思，我就是这样学会了推理，我使用它们全部，人们显示给我的全部词语，那是一些列数的单子，啊，天气怎么一下子变得出奇地炎热，他们按照单子划分，带着视觉上的形象，我想必是忘记了，我想必是把它们给弄混淆了，这些我所拥有的没有名称的形象，这些没有形象的名称，这些我兴许更应该叫作门的窗户，总之叫得不一样，还有这个叫人的词，它对于我听到它时所看到的形象兴许不是太合适，但是，一瞬间，一小时，以及诸如此类的概念，如何表达它们，一生，如何让我看到这些，在这里，在黑暗中，我把这叫作黑暗，那兴许是湛蓝，那是一些白色的①词语，但是我使用它们，它们前来，人们让我看到的所有那些，我能记起来的所有那些，我必须得到它们全部，以便可以继续下去，这不是真的，二十个就足够了，十分忠诚的，十分铁杆的，十分多样的，调色板就显现了出来，我会把他们混淆起来，我会让他们变得多种多样，色调就显现了出来，我会做的所有事情，假如我能够，假如我愿意，再说它也来了，它就将这样结束，通过一些撕心裂肺的叫喊，通过一些含糊不清的喃喃细语，随时随地地，来虚构，来即兴编撰，同时还呻吟着，我将大笑，它就将这样结束，通过一些咯咯的笑声，咕噜咕噜，咦哟，哈，啪，我来练习一下，呢呀母，呼，扑罗，吱吱，只有一些激情，嘭，啪呼，连连的击打，呐，嗵，还有什么呢，啊啊呵，哦哦呵，这是爱，够了，这也太累人了，嗨，嗨，那可是肋骨，德谟克利特的，不，另一个人的，总而言之，这是终结，言而总之，这是沉默，沉默之中的某些咕噜咕噜，真正的沉默，而不是我苦苦磨炼的那些，一直到嘴巴，一直到耳朵，它将我覆盖，它将我暴露，它跟我一起呼吸，如同一只猫跟一只老鼠在一起，真正的，溺水者的，多次

---

① "白色的"（blanc）也有"有形无实"的意思。

的，那不是我，我已经窒息了，我把我自己点着火了，我在木头和铁器的面前到处碰撞脑袋，那不是我，这里没有脑袋，这里没有铁器，我对我自己什么都没有做，我对任何人也什么都没有做，任何人对我也什么都没有做，这里没有任何人，这里没有木头，我寻找了，这里只有我，也没有，连我也没有，我到处都寻找了，这里应该有什么人在，这一嗓音应该属于什么人，我很愿意，我很愿意要它所愿意的一切，我就是它，我说过，它这样说，时不时地它这样说，然后它又说不是，我很愿意，我愿意它不出声，它愿意不出声，它一时间不出声了，但它很快就又出声了，这不是真正的沉默，它说这不是真正的沉默，对真正的沉默能说些什么，我不知道，我不了解它，那是没有的，那兴许会有的，是的，那兴许会有的，在什么地方，我永远都不会知道的。但是什么时候它变弱，但是什么时候它停止呢，但是它时时刻刻都在变弱，它时时刻刻都在停止，是的，当它在那么一刻停止时，那么一刻，那么一刻到底是什么，有一些喃喃声，应该有一些喃喃声，还有倾听，有什么人在倾听，用不着有一个耳朵，嗓音就在倾听自己，就如同当它出声的时候，它就在倾听着自己闭嘴，这就造成了一种喃喃声，这就造成了一种嗓音，一种小小的嗓音，同样的小小嗓音，它停留在喉咙里，喉咙又出现了，嘴巴又出现了，它充满了耳朵，然后我归还，某个人归还，某个人重又开始归还，那应该是这样发生的，我没有什么解释可以给出，也并不要求得到什么解释，等到我真的被淹死的时候，逗号即将来到，那就将是沉默，今天晚上我相信它，依然还是晚上，它持续的时间还真叫长，我倒是很愿意，眼下兴许是春天，紫罗兰，不，那是秋天，万物皆有其时，万物发生，万物结束，人们不知道怎么给我解释，万物在动弹，在消逝，在返回，一道光线在变化，人们不知道怎么给我显示，跟这在一起的还有死亡，一种嗓音在死去，它确实很好，最后是沉默，没有一丝喃喃声，没有空气，没有人在倾听，不是为了我丑陋的嘴脸，这很好，向前。巨大的监狱，如同十万个大教堂那么大，从这一时刻起，就再也没有别的什么了，而在那里头，在某个地方，兴许，有那个囚徒，戴着镣铐，微不足道，怎么找到他，这一空间是那么的虚假，何等的虚假性啊，想要在里头连接一些关系，想要在里头投入一个生命，一个囚牢就已足够，假如我放弃，假如我可以放弃，在开始之前，在重新开始之前，何等的歇息，是它，一些欢呼，它使得事情继续下去，它推迟了期限，不，正相反，我不知道，重新出发，在这一广袤之中，在这一黑暗之中，做重新出发的动作，与此同时你又不能动弹，与此同时你又从来没有出发过，你这傻瓜，做着动作，什么样的动作，你不能动弹，你发出嗓音，它消失在拱顶中，它把这叫作拱顶，那兴许是苍穹，那兴许是深渊，那是一些词语，它说到了一个监狱，总之我很愿意，足够大，得以对付整整的一大群人，对付仅仅一个我，或者它等待着我，我要去那里，我要尝试着去那里，我不能动弹，我已经在那里了，我应该已经到过那里了，说不定我不是独自一人，说不定所有的人全都在那里，而这一嗓音就是他们的，零零碎碎地传到我这里，我们已经经历过，一段时间里相当自由，现在我们谈论这些，每个人都为自己，每个人都面对着自己，而我们倾听着，整整一大群人，一边说着，一边听着，全都一起同时做，这个前者，不，我是独自一人，兴许是第一个，或者兴许是最后一个，独自一人在说，独自一人在听，独自一人独处，其他人全都走了，他们似乎都走了，他们全都默不作声，默不作声地说，默不作声地听，一个接着一个，随着他们的来到，另一个人将会前来，我将不会是最后一个，我将和其他人在一起，我似乎将走，在沉默中，那将不是我，那不是我，我还不在那里，我要去那里，我要尝试着去那里，没有必要尝试，我等着轮到我，轮到我去那里，轮到我在那里说，轮到我在那里听，轮到我在那里等着轮到我出发，如同出发，这要很长时间，这将要很长时间，出发去哪里呢，从那里去哪里呢，人们应该去别的地方，在别的地方等候，等待着轮到自己出发，依次类推，一个接着一个，整个一大群人，或者我独自一人，不需要别的什么人，依次类推，我独自一人，再回到这里，并再次开始，不，是继续下去，这是一个循环的圆圈，一个很大的圆圈，我很熟悉它，我应该很熟悉它，这不是真的，我不能够动，我没有动过，我发出嗓音，我听到一个嗓音，只有这里一个地方，没有两个地方，没有两个监狱，那是我的会客室，那是一个会客室，我在那里什么都不等待，我不知道那是在哪里，我不知道那是如何的，我不需要关注这个，我不知道它是很大，或者它是很小，或者它是关闭的，或者它是开放的，是那样，反复地做，这就使得事情继续下去，向着什么东西开放，那里只有他，向着虚空开放，向着空无开放，我很愿意，那是一些词语，向着沉默开放，朝向沉默，同一水平的高度，为什么不，整个这段时间，在沉默的边缘，我知道，在一块岩石上，用绳子扎在一块岩石上,在沉默之中,它那高高的涌浪朝我涌起,我身上流淌着它的浪花,那是一个形象,那是一些词语,那是一个肉体,那不是我,我知道那不会是我,我不在外头,我在里头,在某个东西里头,被关闭在里头,沉默在外头,外头,里头,只有这里,而沉默在外头,只有这一嗓音,而周围则是沉默,并不需要围墙,不对,还是需要围墙的,我还是需要的,很厚很厚的,我必须有一个监狱,我有我的道理,为了我独自一个,我要去那里,我要投身其中,我已经在那里了,我要去那里寻找我,我就在那里的什么地方,那将不是我,不过那也无所谓,我将说那就是我,那兴许将是我,那兴许就是他们所期待的,他们又在那里了,要跟我做一番了结,要我说我自己是某个人,要我说我就在什么地方,好让我投身在外头,在沉默之中。我从中什么都没看到,那是因为这里头什么都没有,或者是因为我没有眼睛了,或者两者都是,这就有了三种可能性,供人选择,但是我在其中确实什么都没有看到,这可不是撒谎的时候,怎样才能不撒谎呢,我这里有一个主意,一个同样的嗓音,它可以控制它,它尝试一切,它是盲目的,它寻找我,在黑暗中,它寻找着一张嘴,要投身于其中,它可以废除它,它是唯一的,必须有一个脑袋,必须有一些东西，我不知道，我的样子太像是什么都知道了，那是噪音造成了这样结果，它使自己变得很博学，好让我以为自己很博学，好让我以为它就是我的，它对眼睛不感兴趣，它说我没有眼睛，或者它们对我毫无用处，然后它说到了眼泪，然后它说到了微光，确实它是在摸索着，微光，是的，在远处，或者在很近的地方，一段距离，你们知道，衡量，不要出声，微光，如同黎明时分，然后它消逝，如同在傍晚，或者它膨胀起来，这是会发生的，亮得比白雪还要白，一秒钟，那可真是短暂，然后就熄灭，确实，假如你愿意的话，你就忘记，我忘记，我说我什么都没有看见，或者我说那都在我的脑子里，仿佛我感觉自己是一个脑袋，所有这一切都是假设，都是撒谎，那些微光也是，它们应该拯救我，它们应该吞噬我，那并没有给出任何东西，我什么都没有看见，不管是这些，还是那些，而他们灌输给我的那些形象，就像是一头骆驼，在进入沙漠之前，我不知道，还是一些谎言，为了看一看，已经看了，都看了，一些谎言，那说得很快，必须说得很快，这是规定。至于地点，我毕竟将造出它来，我将在我的头脑中造出它来，我将从我的记忆中把它抽取出来，把它抽向我，我为我自己做一个脑袋，我为我自己做一个记忆，我只要倾听就可以了，嗓音将会告诉我一切，我所需要的一切，它已经都告诉我了，它还将再告诉我，我所需要的一切，通过一些零碎片段，合着喘息，那就像是一番忏悔，一次最后的忏悔，你以为它就这样结束了，它却又跳动起来，有过那么多的错误，记忆是那么的糟糕，词语不再来临，词语变得稀少，气息变得短促，不，是别的东西，那是一种起诉，一个垂死的嗓音在起诉，它在控诉我，必须控诉某个人，必须找到某个人，必须有一个罪人，它谈到了我的罪行，它说到了我的头脑，它说那就是我的，它说我很遗憾，说我想受到惩罚，比应有的还要更严厉，说我要出去，说我要把自己交出去，必须有一个牺牲者，我只需要倾听就行，它就指出我的藏身处，它将为我指出这个藏身处来，它是一个什么样子的东西，它的门又在哪里，假如有一道门的话，而我，我又待在哪里，我们之间是一种什么样的关系，那是什么样的地盘，那是不是海洋，或者那是高山，还有，需要走一条什么样的道路，才能让我出去，让我摆脱，让我交出自己，来到那个不经过任何形式的审判刀斧便落下来的地方，刀斧落在任何一个来自这里的人的头上，我不是第一个，我不会是第一个的，它将得到我，它已经得到了其他一些人，它将告诉我应该怎么做，让我站起来，让我动起来，让我做得就像一个充满绝望的躯体，我就这样推理着，我听到自己在推理，所有这一切都是谎言，人们在召唤着的不是我，人们谈论着的不是我，现在还没有轮到我呢，现在只轮到另外一个人，正是因为这样我才无法动弹，我才不感觉到自己有一个肉体，我还没有受苦到足够的地步，现在还没有轮到我，我受的苦还不够多，不到能够动弹的地步，不到有一个肉体的地步，不到拥有一个脑袋能够理解的地步，不到有一双眼睛能够照亮道路的地步，我所做的只是听到，而不理解，不能利用我所听到的东西，去出走，去不再听到，我还没有听到一切，那应该是这样的，那些重要的东西我还没有听到，现在还没有轮到我呢，那些测绘学和解剖学方面的指示显然还没有一直到达我这里，不，我听到了一切，我想必已经听到了一切，可是那又能做什么呢，既然还没有轮到我，轮到我来理解，轮到我来经历，轮到我来生活，它把这叫作生活，道路的空间从这里一直到门，一切都在那里，在我听见的这里头，某个地方，假如一切都已说出，在长长的一段时间中，一切应该已经说出，但是现在还轮不到我来知道那是什么，来知道我是谁，我在哪里，还有如何做才能不再这样，不再在这里，那也站得住脚，要把那看成是另一个人，不，还是同一个人，我不知道，出去在生活中，走在道路上，找到那道门，找到那刀斧，兴许那是一根绞索，给脖子用的，给喉咙用的，给绳子用的，或者是手指头，我将会有眼睛，我将看见手指头，那将是沉默，兴许那将是一种坠落，找到门，打开门，掉下去，在沉默中，那将不是我，我将留在这里，或者那里，更可能是在那里，那将永远不会是我，所有这一切都已经做过了，说过了又说，出发，站立起来的身体，道路，色彩缤纷，来到，打开然后又关上的门，那从来就不曾是我，我没有动弹过，我倾听，我想必还说了话，为什么后来又不愿意，总之，我什么都不愿意，我说了我所听到的，我听见了我所说的，我不知道，前者或是后者，或者两者都是，这样就有了三种可能性，所有这些关于旅行者的故事，这些关于被卡得死死的人的故事，它们都是关于我的，我想必应该极其衰老，要不然就是记忆出了毛病，假如我知道我是不是曾经生活过，我是不是还在生活着，我是不是还将生活，那就会使一切变得很简单，但是不可能知道，这里有一种文字游戏，我没有动，这就是我所知道的全部，不，我还知道别的事情，那不是我，我总是忘记它，我又重新开始，必须重新开始，不从这里开始动弹，不停止给我自己讲故事，同时也稍稍听它们一下，还听别的东西，窥伺别的东西，时不时地问我自己我是从哪里得到它们的，我是不是曾在活人中间待过，或者他们是不是曾经来过我这里，在哪里，我是在哪里存放它们的，在我的脑子里，我不感觉到自己有一个脑子，我到底是用什么来说它们的呢，用我的嘴巴，同样的问题，我是用什么听到它们的呢，还有这个这个这个，还有那个那个那个，那不会是我，或许，那就是我没有注意到，我总是改不了我那老习惯，我这样做了却没有注意到，或者由于身在他乡，我正好在很远的地方，我正好不在场，那便轮到了他，那个既不说话也不倾听的人，那个既没有肉体也没有灵魂的人，他有的只是别的东西，他应该有什么东西，他应该就在什么地方，他是由沉默构成的，这就是一种很漂亮的分析，他就在沉默之中，我们应该寻找的就是他，应该成为的就是他，应该说到的就是他，但是他却不能说，于是我便可以停下来，我就将是他，我就将是沉默，我将在沉默之中，我们将聚集成一体，他必须讲述故事，但是他没有故事，他并不曾在故事之中，这也不太确切，他就在他自己的故事之中，无法想象的，无法确定的，这并没有什么关系，应该试一试，在我那些不知道来自何方的老故事中，去发现他的故事，它应该存在于它们中间，它在成为他的故事之前，想必还应该是我的故事，我将认出它来，我最终将认出它来，沉默的故事，而这一沉默，他从来没有离开过，这一沉默我也从来不会离开，我兴许永远也不会再找到了，我兴许还能找到，那么，那将是他，那将是我，那将是地点，沉默，终结，开始，重新开始，怎么说呢，那是一些词语，我只有这个，而且，它们确切稀少，嗓音改变了，在恰当的时候，我了解这个，我应该了解这个，那将是沉默，因为没有词语了，充满了喃喃声，遥远的呼喊，预见的那种沉默，倾听中的沉默，期待中的沉默，嗓音的期待，叫喊声低沉了下来，如同所有的叫喊，也就是说它们销声匿迹了，喃喃声停止了，它们偃旗息鼓了，嗓音重新起来，它又重新开始尝试，不应该期待它不会再有了，不再有嗓音，只剩下喃喃声的核心，遥远的叫喊，必须很快地试一试，用剩下的词语，试一试什么，我不知道，不过这并没有什么要紧，我从来就不知道，试一试让它们把我带到我的故事中去，那些剩下的词语，我的老故事，我已经忘记得差不多的老故事，远离这里，透过声音，透过门，在沉默中，那应该是这样的，太晚了，兴许已经太晚了，兴许早已经做过了，怎么知道呢，我是永远都不会知道的，在沉默中人们不知道，那兴许是门，我兴许就在门前，那会让我很吃惊，那兴许是我，那曾经就是我，在什么地方那曾经就是我，我可以出发了，这整段时间里我做了旅行，自己却不知道，是我在门前，什么门，那不再是另外一个了，一道门来这里做什么呢，那是最后的一些词语，真正的最后一些，或者那是一些喃喃声，那会是一些喃喃声，我熟悉这个，甚至连这都不是，人们说到喃喃声，遥远的叫喊，只要人们还能说话，人们就在之前说，在之后说，那是一些谎言，那将是沉默，但是它持续不了太久，在这里头人们倾听，在这里头人们期待，期待它破裂，期待嗓音破裂，那兴许是唯一的，我不知道，它什么都不值，这就是我所知道的全部，这不是我，这就是我所知道的全部，这不是我的，这是我曾有过的唯一，这不是真的，我想必曾有过另一个，持续了很久的那一种，但是它并没有持续，我不明白，这就是说我明白，它始终持续着，我始终在里头，我把我自己留在了其中，我在其中期待，不，人们并不在其中期待，人们并不在其中倾听，我不知道，那是一个梦，那兴许是一个梦，这会让我大吃一惊，我将醒来，在沉默中，再也睡不着觉，那将是我，或者仍然还在做梦，梦见一种沉默，一种梦的沉默，充满了喃喃声，我不知道，那是一些词语，始终没有醒来，那是一些词语，只有这个，必须继续，这是我知道的一切，它们将停下来，我可了解这个，我感觉到它们把我松开，那将是沉默，一小会儿，好长一会儿，或者那将是我的，持续的那种，它没有持续，它始终持续，那将是我，必须继续下去，我不能继续，必须继续下去，那么我就将继续，必须说一些词语，只要还有词语，就得把它们说出来，直到它们找到我为止，直到它们对我说出来为止，奇特的为难，奇特的错误，必须继续下去，兴许早就已经做了，它们兴许早就已经对我说了，它们兴许已经把我带到了我的故事的门槛上，就在朝我的故事敞开着的大门前，这会让我吃惊，假如它敞开的话，那将会是我，那将会是沉默，我就在那里，我不知道，我永远都不会知道，在沉默中人们是不知道的，必须继续下去，我不能继续，我将继续。

1949 年

图书在版编目（CIP）数据

贝克特作品选集.5，无法称呼的人/（爱尔兰）贝克特（Beckett, S.）著；余中先，郭昌京译.—长沙：湖南文艺出版社，2013.12（2025.6重印）
ISBN 978-7-5404-6465-3

Ⅰ.①贝… Ⅱ.①贝…②余…③郭… Ⅲ.①文学-作品综合集-爱尔兰-现代②长篇小说-爱尔兰-现代 Ⅳ.①I562.15

中国版本图书馆 CIP 数据核字（2013）第 261988 号
著作权合同登记号：图字 18-2013-202

贝克特作品选集 5
BEIKETE ZUOPIN XUANJI 5
无法称呼的人
WUFA CHENGHU DE REN

著　　者：	[爱尔兰]萨缪尔·贝克特		
译　　者：	余中先　郭昌京		
出 版 人：	陈新文	监　　制：	谭菁菁
责任编辑：	冯博　李颖	责任校对：	艾宁
特约编辑：	陈美洁	装帧设计：	CANTONBON
出版发行：	湖南文艺出版社		
印　　刷：	长沙超峰印刷有限公司		
经　　销：	新华书店		
开　　本：	787 mm×1092 mm　1/32		
印　　张：	7.5		
字　　数：	117 千字		
版　　次：	2013 年 12 月第 1 版		
印　　次：	2025 年 6 月第 2 次印刷		
书　　号：	ISBN 978-7-5404-6465-3		
定　　价：	45.00 元		